CB048291

ANJO NOTURNO

SÉRGIO SANT'ANNA

Anjo noturno

Narrativas

COMPANHIA DAS LETRAS

Grafia atualizada segundo o Acordo Ortográfico da Língua Portuguesa de 1990, que entrou em vigor no Brasil em 2009.

Capa
Rita da Costa Aguiar

Foto de capa
George Silk/ Getty Images

Preparação
Márcia Copola

Revisão
Nana Rodrigues
Márcia Moura

Os personagens e as situações desta obra são reais apenas no universo da ficção; não se referem a pessoas e fatos concretos, e não emitem opinião sobre eles.

Dados Internacionais de Catalogação na Publicação (CIP)
(Câmara Brasileira do Livro, SP, Brasil)

Sant'Anna, Sérgio
O anjo noturno : narrativas / Sérgio Sant'Anna. — 1ª ed. — São Paulo : Companhia das Letras, 2017.

ISBN 978-85-359-2972-0

1. Ficção brasileira I. Título.

17-06361 CDD-869.3

Índice para catálogo sistemático:
1. Ficção: Literatura brasileira 869.3

[2017]
Todos os direitos desta edição reservados à
EDITORA SCHWARCZ S.A.
Rua Bandeira Paulista, 702, cj. 32
04532-002 — São Paulo — SP
Telefone: (11) 3707-3500
www.companhiadasletras.com.br
www.blogdacompanhia.com.br
facebook.com/companhiadasletras
instagram.com/companhiadasletras
twitter.com/ciadasletras

Sumário

Augusta

Eles não são de verdade. Mas digamos que se conheceram há duas horas e meia numa pequena festa em Copacabana, na rua Francisco Mendes, transversal à praia. O nome dela é Helena, o dele Francisco. Helena tem trinta e três anos, Francisco trinta e um, embora não saibam disso um do outro. A maior parte dos poucos convidados bebeu álcool e queimou fumo, mas Helena ficou só no fumo e Francisco mais no uísque. Sentaram-se lado a lado, ao acaso, num sofá de tamanho médio. Dos alto-falantes de um CD player ouvia-se jazz. Mas nada de muito barulho. Balançando de leve o corpo, ao ritmo da música, Helena deixou que sua perna esquerda encostasse na perna direita de Francisco, que é um homem bonito. Ele não afastou sua perna e assim ficaram por algum tempo, como se fossem namorados. Helena usa um vestido branco, bastante curto, deixando à mostra boa parte de suas coxas morenas. Francisco reparou nesse contraste e achou Helena muito atraente.

Conversaram o tempo suficiente para que, além de conhecerem seus nomes, ele soubesse que ela era produtora de grupos musicais novos. A dona da casa, Lucíola, uma jovem advogada, grande amiga de Helena, a orientava, gratuitamente, nas questões dos contratos desses grupos com gravadoras e dos cachês dos shows. Helena recebia uma percentagem da remuneração dos artistas.

Francisco era professor universitário de história do Brasil e contratara os serviços de Lucíola, a conselho de um amigo, para entrar com uma ação trabalhista contra uma faculdade particular que o demitira sem pagar os seus direitos. Lucíola era, portanto, uma advogada bastante eclética.

Bem, chega disso, são apenas detalhes chatos para dar maior plausibilidade ao enredo. Lá pelas onze horas, Francisco comentou que não poderia demorar. Tinha de acordar cedíssimo para dar uma aula numa nova faculdade num subúrbio. "Aos novatos os piores horários. E eles ainda tinham de levantar a mão para o céu, nessa época de desemprego."

— Você mora onde? — perguntou Helena.

— No Flamengo, e você?

— Em Copacabana mesmo, perto daqui. Acho que vou descer com você. Tenho de comparecer a uma gravação amanhã de manhã. Do grupo Fora de Pauta. "Aos grupos iniciantes os piores horários", ela riu. E ofereceu uma ponta de baseado a Francisco, que dessa vez aceitou.

Antes de sair, Helena foi ao banheiro e retocou o batom. Francisco achou-a ainda mais atraente, com os lábios vermelhíssimos, que ele observou com uma nitidez reforçada pelo fumo.

Dispensemos as despedidas. Os dois sozinhos no elevador ficaram bem próximos um do outro, apesar do espaço de sobra. Num rompante, Helena beijou os lábios de Francisco. Ele correspondeu. Havia um espelho e, quando afastaram seus rostos, Francisco observou sua boca bem manchada de batom. Achou-se ridículo, mas não quis tirar do bolso o lenço, para não dizer que fizera pouco-caso daquele beijo. Pelo contrário. Mas Helena ficou com dó e tomou a iniciativa de tirar da bolsa lenços de papel e pôs-se a limpar a boca de Francisco, como uma menina ao mesmo tempo travessa e carinhosa.

Já na calçada:

ELE Em que rua você mora?

ELA Na avenida Atlântica. Eu sou riquíssima. — E Helena deu uma gargalhada.

Ela ficou de novo com dó e explicou:

— Bem, na avenida Atlântica é verdadeiro. O apartamento faz parte de um inventário, em que Lucíola funciona como advogada, de comum acordo entre os herdeiros. E estou morando lá de graça.

Diante do edifício onde morava, ela disse:

— Tenho um resto de Jack Daniel's em casa, não quer subir comigo?

— Só quero.

Era um edifício velho, com certeza da década de 50. Não havia varanda e, antes que Helena introduzisse sua chave na porta, um porteiro uniformizado abriu-a e cumprimentou-os. Apesar da austeridade da fachada, já no saguão via-se que os construtores procuraram dar ao prédio um ar de requinte. Ao lado de duas colunas nas paredes laterais, um homem e uma mulher de mármore, nus, com os respectivos sexos disfarçados por coberturas também de mármore. Tudo imitando peças gregas. O nome do edifício é Corinto. Ainda com fumo na cabeça, Francisco tem uma sensação de estranheza, como se houvesse entrado num templo.

Sobem lentamente até o quinto pavimento por um velho elevador reformado. Dessa vez não há beijo. Helena diz a Francisco que tem algo a lhe contar.

— Espero que você não seja muito impressionável. Sabe por que Lucíola pôde me ceder o apartamento de graça, deixando a meu cargo apenas as taxas e as contas? (ela faz uma pequena pausa e prossegue) Não foi só por causa do inventário. Foi também porque o antigo morador e proprietário suicidou-se pulando da janela.

Já estão no hall de entrada do apartamento.

HELENA As pessoas ficam impressionadas, pois o caso repercutiu.

Já estão dentro do apartamento.

— Conhecem os motivos? — ele falou, observando a sala enorme, com o pé-direito alto, praticamente vazia, as vozes deles criando uma sonoridade parecida com um pequeno eco. Onde deveriam estar as luminárias, apenas fios desencapados. ("Os parentes levaram o que havia de melhor. As cunhadas e sobrinhas se serviram.") Como mobiliário, apenas uma mesa e quatro cadeiras, que pareciam ter sido compradas em alguma loja de móveis usados. E havia também um bar de madeira, afixado numa parede. Helena abriu a portinhola do bar e pegou lá dentro uma garrafa de Jack Daniel's, com mais ou menos um terço do conteúdo.

HELENA Essas coisas nunca têm um só motivo. Mas ao que consta ele estava doente e muito sozinho, pois a amante o deixou. Só convivia com a empregada. Tinha mal de Parkinson e não podia mais pintar.

— Ah, então era pintor?

— Carlos Rodrigues, já ouviu falar?

— Não, nunca.

Helena deposita a garrafa sobre a mesa.

— Também pudera, os críticos e outras pessoas do métier o ignoravam, o consideravam um realista anacrônico. Mas talvez fosse um incompreendido. Tudo isso eu sei por Lucíola, que é fascinada pela figura de Rodrigues. Quer tomar agora uma dose?

— Por favor.

— Por que não me segue até a cozinha?

É uma cozinha limpa e bem-arrumada. Fogão e geladeira pequenos. Uma mesinha. Helena pega um balde na despensa e dois copos e os lava meticulosamente, depois tira uma fôrma de gelo do refrigerador e enche o balde. Enquanto isso, prossegue:

— Voltando a Carlos, ele até que conseguia vender alguns quadros, mas desprezava seus compradores, porque desprezava a si mesmo. Atingira aquele estágio da depressão em que a autoestima chega a zero, embora não tivesse parado de pintar até o Parkinson o impedir. Mas recomprava as próprias obras para depois destruí-las. Quer servir-se na sala? Aí você vê a sua dose.

Sentam-se à mesa. Para si, Helena trouxe uma garrafinha de coca-cola e outro copo. Francisco se serve de uma dose generosa de uísque com gelo. E fala:

— Mas e o dinheiro? Um apartamento desses, com a sua localização, não é nada barato.

— Herança familiar. Vinha de uma família rica e nunca precisou trabalhar. Como não tinha amigos, havia quem o considerasse um misantropo e até um misógino, mas pelo menos no segundo caso era obviamente falso, pois havia Augusta.

— Augusta?

— A mulher que o deixou. Ele tolerava dividi-la com outros, mas não se conformou em ser abandonado, sempre segundo Lucíola, que ainda comentou: Carlos gostava de beber e, já pensou?, ele bebendo sozinho e olhando para o retrato dela que ele mesmo pintou. Com o Parkinson, as pedras de gelo batendo no copo e fazendo aquele barulhinho. Aliás, não é improvável que a última pessoa a servir-se desse uísque tenha sido o pintor. Mas você não fica impressionado, fica?

— Pelo menos com isso não. — Francisco tomou um longo gole, que já era o segundo.

HELENA Está vendo aquele retângulo vertical mais branco na pintura da parede? Ali ficava o quadro com retrato de corpo inteiro de Augusta.

— Ele não quis destruí-lo.

— Não, isso não.

— E os parentes não quiseram ficar com a tela?

— Não, talvez porque estivesse danificada, ou por outra razão qualquer. Talvez responsabilizassem Augusta pelo suicídio de Carlos. Mas eu quis a pintura. Coloquei-a nas minhas dependências, que vou te mostrar.

— Você habita, então, em outra parte do apartamento?

— Sim, aqui na sala só existem mesmo, além do bar, as mesas e as cadeiras, que eu mesma comprei baratíssimo, pois não gostaria de comer no quarto. Quando tenho de receber o pessoal da música, o faço num escritório pequeno alugado no centro da cidade. Só mudei para cá há alguns meses e não creio que os herdeiros gostariam que eu mantivesse uma vida social no apartamento. Arrumei um quarto com as minhas coisas, pois inventários costumam demorar. Eu vou te mostrar.

— Não vai me dizer que é o quarto do suicida?

— É, o que que tem? A cama também é a dele. Acho que a família ficou com grilo de levar. Venha ver e traga o seu copo.

Entram por um corredor espaçoso e Francisco pergunta pelo banheiro. "A segunda porta à direita." Francisco fica muito bem impressionado com o asseio e o cheiro bom do banheiro. Sobre a pia — onde ele deposita o copo — há sabonetes, perfume, água-de-colônia etc. Ajudado por um resquício de Cannabis em seu sangue, ele sente um imenso bem-estar. Pensa que Helena é uma mulher surpreendente e está feliz de ter subido com ela.

Quando sai do banheiro, com o copo, cruza com Helena no corredor. Ela está com uma ponta de baseado na mão. Traga fundo e a passa para ele, que também traga o que consegue, e acabou-se. Helena diz: "Deixa que eu jogo fora no vaso sanitário. Vou tomar uma chuveirada e você pode ficar em minhas dependências". Aponta uma porta à direita. "Você vai ficar melhor lá. É praticamente ali que vivo: trabalho, durmo, ouço música, vejo televisão."

Francisco entrou no quarto indicado. Numa vista-d'olhos, percebe que é um quarto bem grande e ali está a cama de madeira trabalhada do suicida. Mas ele não tem nem tempo de examiná-la, porque logo é atraído por um quadro de consideráveis dimensões, uma mulher nua retratada frontalmente, mas com as pernas fechadas, de maneira que o seu sexo não se exibe ostensiva ou vulgarmente.

Com toda a certeza é Augusta e seu tamanho é de uma mulher real, de mais ou menos um metro e setenta. Seu seio direito é magnífico e o esquerdo também, mas com uma perfuração sob ele, que se espraia, como se alguém houvesse revolvido aquela ferida.

Francisco, fascinado, examina detidamente aquela mulher muito branca, totalmente despida, a não ser por uma sandália negra, de salto alto, e óculos de lentes claras, que a fazem parecer uma intelectual. Isso contribui para que Francisco fique excitado. Seu uísque acabou e ele deixa o copo sobre a mesa de cabeceira.

Ele leva um susto quando ouve a voz de Helena na soleira da porta.

— E então, está aí contemplando Augusta? Eu sabia.

Helena está agora usando uma combinação preta e calçou pantufas. Seus cabelos castanhos estão umedecidos, ela não os secou, com certeza apenas os enxugou com uma toalha. Reforçou novamente o batom vermelho.

FRANCISCO O que houve com o quadro na altura do peito?

— Carlos apunhalou-a.

— Que estranho.

— O que não faz uma paixão frustrada? Mas ele manteve o quadro, nunca conseguiu libertar-se dele. Na minha mente há uma cena de Carlos masturbando-se diante dela. A polícia, quando veio registrar a ocorrência do suicídio, recolheu em algum lugar do apartamento um punhal de prata. A punhalada não é simplesmente certeira por causa da mão trêmula do pintor. A pintura, obviamente, foi feita antes da doença. Lucíola me narrou isso com detalhes. Parecia embevecida quando falava nessas coisas. Acho que ela deveria ter se dedicado ao direito penal. Mas no fundo penso que é uma mulher romântica.

FRANCISCO E autorretrato ou fotografia de Carlos, não há nenhum?

— Aqui nada. Penso que, além do corpo, ele quis destruir suas próprias imagens. Com certeza haverá fotos em retratos da família e Lucíola tem uma que saiu num necrológio no jornal. Ela me mostrou. O que mais me impressionou no retrato foram os olhos fixos dele, arregalados.

— Mas falemos também de você. Você sabia que, com essa combinação, você parece uma mulher de antigamente? Acho que as mulheres não estão usando mais hoje em dia.

— Você não gosta?

— Adoro. Perdoe-me, mas tenho vontade de alisar a combinação em seu corpo.

Helena avança em sua direção, oferecendo-se.

— Herdei a combinação de minha tia-avó.

Ele a acaricia na altura do umbigo e depois desce até o púbis dela. E espalma a mão sobre sua xoxota. Ela arfa, ajoelha no chão, baixa as calças e a cueca dele e se põe a chupá-lo, com pequenos intervalos, de modo que o pau dele fica com rodelas de batom e ela ri.

— Está rindo de mim?

— Você não acha nada disso sério, acha?

— De jeito nenhum. — E ele também ri. — Você me mata de prazer.

— Quer que eu tire agora a combinação?

— Não, por favor.

Helena o empurra para a cama e vai por cima dele. Ele baixa as alças da combinação dela e os seus seios são lindos. Como se excitaram muito, não demoram a gozar juntos. Depois ficam imóveis, em silêncio, até que:

— E pensar que Carlos e Augusta trepavam aqui — ela diz. — Às vezes, de noite, é como se eu sentisse a presença deles.

FRANCISCO Se houver outra dimensão, Carlos pode estar me invejando, desejoso de você, Helena. Ele também gostaria de pintá-la. E se apaixonaria por você real e por sua pintura. Como com Augusta.

Helena levantou-se, pegou a combinação e dirigiu-se ao banheiro.

Deixado a sós, Francisco levantou os olhos até Augusta. É como se ele houvesse transitado diretamente de Helena para Augusta. Depois observa mais detidamente o quarto.

Uma escrivaninha fechada, uma poltrona, uma estante não muito grande, com livros na vertical e na horizontal e uns dois na mesa de cabeceira. O que está por cima é *Harmada*, de João Gilberto Noll. Há também um televisor e um equipamento de som. Também folhas de computador impressas jogadas no chão. Mais para o fundo do quarto um aparelho de ar condicionado desligado. É o princípio da primavera e uma brisa fresca entra pela janela. Helena deve tê-la aberto quando ele estava no banheiro.

Francisco interessa-se, sobretudo, por um nicho de bom tamanho no fundo do quarto. Há a janela, uma cadeira austera, mas confortável, diante de uma mesa sobre a qual há um laptop com acessórios.

Depois volta a fixar-se prazerosamente em Augusta. Entende a paixão de Carlos Rodrigues. Terá Carlos providenciado para que sua modelo posasse com os óculos e as sandálias, ou terá sido casual, ou uma opção dela mesma? Francisco tem consciência de que nenhum objeto foi acrescentado ao quadro. Há o fundo verde, neutro e é só, dando um extremo realce ao corpo nu.

— Então sempre com Augusta? — pronuncia Helena entrando no quarto com um cigarro na mão. Um cigarro normal. — Não é como se ela fosse real?

— Sim, bastante real, com exceção da punhalada, que é metafórica.

— Um realismo que chega a ser surpreendente. Não é ultrapassado nem contemporâneo, é único. Dá vontade de tocá-la, seu corpo carnudo, mas nem um pouco gordo.

— Então você também a ama e deseja?

Helena apaga o cigarro num cinzeiro sobre a escrivaninha:

— Sim, amo-a e desejo. Quando tiver de me mudar, vou ver se a levo comigo.

— Sabe o que foi feito dela?

— Lucíola ouviu dizer que se casou com um inglês, proprietário de cavalos de corrida.

Helena passou por Francisco, caminhou até o nicho no fundo do quarto e olha pela janela. Francisco aproveita para levantar-se e se dirigir novamente ao banheiro. Ao retornar, vê que Helena está sentada junto ao computador. Francisco pega sua calça de linho no chão, veste somente ela e permanece descalço e com o peito nu. Aproxima-se de Helena e a abraça pelas costas e põe sua mão direita, espalmada, sobre e sob o seio esquerdo dela. Helena ri, entendendo o significado do gesto dele.

FRANCISCO Sobre o que você escreve?

— Além de textos profissionais, escrevo sobre minha vida, as pessoas que passam por ela. E naturalmente escrevo sobre Augusta. — Ela ri.

— Pretende publicar os textos um dia?

— Imagina! Escrevo para mim mesma. Para dar uma realidade maior a tudo o que existe e se passa em torno de mim.

Francisco dá a volta no corpo dela, no computador, chega até a janela e diz:

— É bonito aqui.

ELA (digitando) O que você está vendo?

ELE O mar, é claro. Com a iluminação da avenida Atlântica, vê-se a espuma das ondas quebrando na areia, tudo envolto no cheiro da maresia. Dá até para ouvir, a essa hora da noite, quando há um intervalo entre os carros que passam, o barulho dessas ondas. Você também ouve?

ELA Sim, creio que sim. E o que mais você vê?

ELE Uma forte luz em pleno oceano, que acende e apaga, intermitentemente.

ELA (sempre digitando) É a luz de um farol que gira, varrendo o mar, e por isso parece apagar-se.

ELE Mais atrás do farol, outras luzes, mais fracas e espalhadas, em movimento. Só podem ser de um navio. Pela direção em que se movem, o navio está partindo.

ELA Deixa que eu continuo. Talvez haja uma orquestra tocando a bordo, em comemoração à despedida. Talvez alguém da tripulação faça soar um apito, uma ou outra vez. Daqui, certamente, não poderemos ouvir, a não ser imaginariamente.

ELE A orquestra ou o apito?

ELA Ambos. É tudo muito longe.

ELE Você tem muita imaginação.

ELA Você não gosta?

ELE Gosto, gosto muito. Continue.

ELA Pessoas estão se debruçando na amurada do convés, olhando a cidade que se afasta. Alguém pode estar olhando nesta direção. Uma mulher, por exemplo. Talvez procure imaginar o que se passa num destes apartamentos da praia.

ELE O apartamento onde estamos?

ELA Sim, é isso, o apartamento onde estamos. Enquanto nós, aqui, imaginamos o que ela pode estar imaginando.

ELE E o que é?

ELA Um homem à janela, com o torso nu e descalço, e que contempla a praia, o oceano, o navio, o farol. É tudo como uma composição. E uma mulher, usando uma combinação, que escreve, no computador, essa composição. Há também uma mulher pintada, nua, usando óculos de lentes brancas e uma sandália de salto alto. Há também um buraco sob o seu seio esquerdo, na altura do coração.

ELE E o que mais você imagina?

ELA Mais do que imaginar, eu pressinto. Que em águas mais profundas além da praia nada um peixe de bom tamanho. Há uma estranha comunhão entre a mulher que digita e o peixe. Já na areia, próxima à praia, passeiam siris. Também é estranho a mulher pensar que esses crustáceos possuem alguma espécie de subjetividade; apesar de bizarros, são unidades autônomas de vida.

ELE E o que mais?

ELA Com seus óculos de lentes brancas, é como se a mulher pintada possuísse também uma subjetividade, estivesse atenta a tudo o que se passa em torno dela, inclusive o que se fala e o que está além do apartamento. Sob o seu seio esquerdo há uma perfuração, como se ela tivesse sido assassinada com um punhal. Tanto o homem como a mulher no quarto são seduzidos por ela. Seu nome é Augusta.

Um conto límpido e obscuro

Agora eles não tinham mais relações amorosas havia uns dois anos e pouco e foi uma surpresa para ele — e seu coração bateu mais forte — quando, depois de ouvir a campainha da porta, mais ou menos às onze horas da manhã, ele atendeu e viu que era ela quem estava lá, com o sorriso que era uma característica sua e que atraía imediatamente a simpatia de quem quer que viesse a conhecê-la. Ela disse que acabara de enviar pelo correio ao Museu de Arte Contemporânea de Niterói um projeto de instalação, mas antes tirara algumas cópias dele e, ali mesmo na rua, tivera a ideia de mostrar o trabalho a ele. A distância dos edifícios em que moravam era de três quarteirões e ela viera vestida com uma simplicidade caseira: calça jeans, uma camiseta totalmente branca, uma sandália velha, e não usava pintura. Ele teve vontade de abraçá-la forte e beijá-la na boca. Mas sabia que ela agora impunha limites que ele devia respeitar. Então ele a beijou na face como a uma amiga qualquer e foram sentar-se no sofá, mantendo uma certa distância entre si, ela encarando-o com expectativa enquanto lhe estendia uma folha de papel que retirara de uma pasta.

Assim que ele lançou o primeiro olhar ao desenho do projeto, seu coração bateu mais forte, como antes, à porta, pois, de repente, era transportado novamente a um mundo pessoal dela, ao qual estivera tão ligado.

O projeto que o desenho representava era a suspensão no espaço de uma cama de latão polido e ferro, como estava indicado, de tamanho real, virada para baixo, como se estivesse caindo, sustentada por quatro fios de aço a serem presos no teto do museu, enquanto no chão, sobre um tapete bege rosado, ficava uma cama pequeníssima, um objeto de antiquário, também de latão, com suas cobertas feitas de porcelana, sobre as quais uma meninazinha, também de porcelana, se ajoelhava em pose de oração. O título da obra era *Menina rezando em sua cama.** Ainda no espaço, também suspensa e presa ao teto do museu, logo abaixo da cama grande, havia uma forma arredondada e rósea, como um seio estilizado em grandes dimensões, da qual saía um fio negro, algo grosso, comprido, de borracha, que ia terminar num dedo de acrílico, com uma unha esmaltada em vermelho, apontando diretamente para a menina, bem próximo dela, como que a indicar o peso de uma responsabilidade ou a culpa a recair sobre a meninazinha, tão pequena, como se ela tivesse cometido uma espécie de pecado original. Por outro lado, o jogo de relações da cama pequena com a cama maior, caindo no espaço, intermediado pela forma arredondada rósea, ligava a mulher adulta — e isso valia tanto para a artista como para qualquer observadora — à meninazinha que ela teria sido e ainda trazia dentro de si.

Foi isso que ele comentou com ela, mas disse também que qualquer explicação só faria reduzir o impacto do trabalho, e ela concordou com ambas as coisas, as explicações e o que estava além delas. E traindo uma certa timidez, estendeu para ele uma

* De autoria de Cristina Salgado.

folha de papel em que havia especificações do trabalho, também enviadas ao museu, e apontou um trecho que ele devia ler. Ali ela escrevera: "O objeto antigo de porcelana — a menina rezando — é lindo, doce, meigo, elegante, delicado como todos nós e, como todos nós, é temente a Deus, à noite, e à solidão".

— Mas isso é muito bonito — ele disse.

Ela sorriu, contente com aquele elogio que sabia merecido, e ele aproveitou o momento para segurar sua mão, mas sentiu, nitidamente, que ela mantinha as mãos de ambos afastadas dos corpos, das coxas e dos seios dela, evitando qualquer intimidade maior. Ele então a soltou e disse, sentindo-se levemente ridículo:

— Você está apurando cada vez mais suas formas de representar seu mundo.

— E posso saber que mundo é esse? — ela disse, com uma entonação ligeiramente irônica.

— Você sabe muito bem. Essa ligação com o feminino, ao mesmo tempo sensível e irônica, carnal e espiritual, mas nessa instalação há, sobretudo, os temores e os mistérios de uma noite feminina, lirismo. E também doçura, meiguice, elegância, como você mesma escreveu.

Enquanto ele falava aquilo, ela, por um segundo, encostou a cabeça no ombro dele, mas antes que ele pudesse passar o braço em torno dos ombros dela, ela levantou-se, arisca, e se encaminhou para a cozinha, com a familiaridade que tinha com o apartamento que frequentara durante oito anos.

Sozinho, na sala, ele pegou a pasta que ela trouxera e viu que havia algumas outras cópias de trabalhos ali guardadas. O conjunto da obra dela era mesmo inteiramente vinculado ao feminino, com pinturas mostrando mulheres, vestidas, nuas ou seminuas, ou esculturas em que se decompunham e recompunham partes da anatomia feminina, para formar combinações, como um misto de perna e seio — que ele pegou para ver — com um mamilo bem visível e ainda um dedo de mão apontando para cima, com a unha esmaltada de vermelho, a peça terminando num pé calçado num sapato preto, real, de salto alto. Noutro trabalho, dois braços estilizados, um terminando apenas com um dedo indicador, também com a unha pintada de vermelho, e o outro com uma garra preta, como a de um crustáceo, se curvavam e se encontravam para formar uma abertura onde se via a ponta do parafuso com o qual a peça era cravada numa chapa metálica, tudo a sugerir um pórtico da sexualidade. E havia ainda outra peça que era um seio longo e pontudo, feito de materiais diversos, repousando sobre uma haste de ferro, num trabalho que ela nomeara Mamãe.

Ele estava segurando a reprodução desta última peça quando, sentindo-se observado, levantou os olhos e a viu à porta da cozinha, olhando-o atentamente, talvez porque, surpreendendo-o a examinar sua obra, sem saber que ela o via, ela poderia ler em seus olhos o que ele realmente achava de tudo aquilo. Seus olhares se encontraram e eles então riram cúmplices, e ela passou direto pela sala, encabulada, para ir ao banheiro.

O que ele realmente achava da obra dela é que era, ao mesmo tempo, sofisticada e cheia de humor, e para ele sempre fora fascinante participar da intimidade desta mulher de quem nascia esse repertório, e quando frequentara a casa dela, no meio de muitas obras espalhadas pelos espaços do apartamento — quadros, desenhos, objetos, esculturas —, a proximidade dessas obras como que fornecia uma personalidade dupla à mulher e tornava ainda mais atraente, compensador, partilhar com ela coisas comuns do cotidiano, como jantarem na cozinha a comida que ela esquentava — e às vezes fritava um ovo para ele —, e então ela era em tudo também uma mulher comum, apenas com a diferença que era produzir obras que tinham a ver com esse cotidiano feminino ou eram um aguçamento dele e assim forneciam uma segunda significação aos menores atos dela, como lavar pratos, tomar banho, ver televisão, ler na cama romances ou livros de arte. E quando eles transavam tornava-se um prazer ainda maior despi-la e aí, de certa forma, ver os corpos — os seios, púbis, pernas — das personagens de suas obras, ou então, pelo contrário, despi-la dessas personas para ter em seus braços a mulher absolutamente comum, embora no quarto dela houvesse também quadros, inclusive de mulheres nuas, em que ela, mesmo sem o fazer deliberadamente, acabava por colocar muito de si própria. E ele podia pensar em como a observaria se não fosse a artista, mas apenas a mulher nua comum, de quarenta e dois anos.

Mas com todas aquelas reproduções ali espalhadas no sofá, era essa mulher dupla que ele tinha de novo ali ao seu lado — e ao mesmo tempo inatingível, coletando seus trabalhos — provocando-lhe novamente o desejo, imediatamente contido, de beijá-la, para sentir, provavelmente, um hálito de café com leite, e depois acariciar seu corpo por baixo da blusa e depois levá-la pelo braço até o quarto, onde, bem diante da cama, havia um quadro que era uma mulher nua pintada, frontalmente, por ela, com sapatos de salto alto, segurando uma bolsa, tudo cor-de-rosa, no qual ela pusera muito de si mesma, mais uma vez sem tê-lo procurado nem ter posado diante do espelho. Era uma representação do feminino que ela trazia naturalmente consigo.

E era exatamente isso que ele estivera perdendo nesses últimos dois anos e pouco: ela inteira e, em boa parte, ele próprio, pois, sem ela, ele se tornava um sujeito muito mais pobre, e descobrira que esse tipo de amor que sentia tinha também essa virtualidade de um ser perder-se em parte no outro, tentar roubar suas qualidades — e não fora em parte essa voragem dele que a afastara? —, e havia em sua mente um pensamento ao mesmo tempo límpido e obscuro, que mais ou menos o compensava, como agora. Tendo se apossado de despojos dela, e se isso parecia uma representação doentia do amor, uma alucinação dos sentidos, ele pelo menos podia, assim como ela produzia quadros e esculturas, torná-la para sempre real em si mesmo, transcrevendo-a em palavras.

Talk show

1

Eu estava com os nervos despedaçados. Se pensarem que exagero, basta eu dizer que sentia uma aflição tão grande em meus músculos e nervos que tinha vontade de sair do meu corpo ou dar cabeçadas na parede. Tomava cada vez mais ansiolíticos e soníferos e era capaz de acordar no meio da noite para beber café e fumar um cigarro. Acordava de manhã sonolento e deprimido e chorava sem outro motivo preciso além do de ser quem eu era. Uma amiga me disse que o meu problema era solidão, mas quem suportaria viver comigo se nem eu me suportava? Ela apertou minha mão com força, talvez sugerindo que suportaria, mas me fingi de desentendido, pois se eu sozinho comigo mesmo já era péssimo, imaginem ter uma testemunha diária de meu sofrimento e meu fracasso.

Tinha vagas ideias para voltar a escrever, mas todas giravam, abstratamente, em torno da paz, da beleza e da libertação, temas que tangenciavam, como o arco as cordas de um violoncelo, a morte. Eu sentia que, uma vez expressos esses sentimentos, isso me desobrigaria para sempre de escrever o que quer que fosse, para então me libertar de fato, quem sabe? Só que eu não conseguia colocar uma palavra atrás da outra, porque, para tanto, era preciso ter calma, usar o tempo ordenadamente. Mas o tempo era um movimento bem concreto que eu via no relógio, ansioso, arrastando-me com ele e deixando para trás, perdido para sempre, aquilo que eu poderia ter feito e não fizera. Foi nessas condições que compareci ao talk show de Edwina Sampaio, o que não significa que eu queira dar desculpas para o que quer que tenha acontecido, embora queira, sim, dar a minha versão dos fatos.

O local do talk show de Edwina era uma sala de espetáculos na rua Senador Dantas, bem no centro da cidade, antigamente um teatro de revista, que permitia ao público um contato relativamente estreito com as personalidades entrevistadas, penetrar em sua intimidade, além de ver e ouvir coisas que, pelo menos em tese, não seriam exibidas na TV convencional. Também o horário, sete e meia da noite, era bastante conveniente para atrair um público que saía do trabalho.

Havia umas quatro câmaras filmando para uma produtora de vídeo independente, que vendia os shows completos a uma emissora da TV a cabo brasileira e para outras cucarachas, que os exibiam, devidamente dublados ou com legendas, para toda a América de língua espanhola, e também nos Estados Unidos, em canais direcionados às minorias étnicas. Excepcionalmente, como vim a saber, os melhores momentos eram exibidos em países como Portugal, Espanha, Bélgica, Itália, ou do Leste Europeu, em programas do tipo popular, se não kitsch, intencional ou não. Quando a gente aceitava participar do show, assinava um contrato cedendo o direito de nossa imagem para sempre, mediante um cachê de dois mil e quinhentos reais, pelo menos no meu caso. Pois devia haver gente que ganhava mais, e menos, ou até pessoas que iam ali de graça, para se promover. Quanto a mim, eu precisava tanto daquela grana que nem sabia por onde começar a gastá-la.

Esbarrando com Edwina toda afogueada nos bastidores, ela me perguntou se eu sabia como era o seu show e eu disse, tentando fazer graça, que era pura conversa fiada. Ela riu, meio amarelo, meio cruel, a grande megera, com seu penteado parecendo uma torre ou um bolo de casamento; seus dentes implantados e o rosto esticado até um ponto que dava a impressão de que poderia ruir a qualquer momento. Parecia uma falsificação de si mesma quinze ou vinte anos antes, quando já era tão brega ou medíocre como agora mas tinha um programa na TV aberta com índices consideráveis de audiência. Mas também eu não era o mesmo de quinze ou vinte anos antes, do contrário não estaria ali. Aliás, quem o era? O mundo mudava numa velocidade impressionante e a gente ia ficando para trás, cada vez mais para trás, e o único passo adiante, possível nas circunstâncias, parecia ser em direção à cova, eu e Edwina éramos uma demonstração eloquente desse fato.

Como em seus áureos tempos na televisão comercial, Edwina recebia os convidados num sofá amplo e confortável, ladeado por dois abajures que combinavam com o seu penteado. Havia também duas poltronas, com iluminação própria, à parte, para o caso de esses convidados serem casais, ou duplas ou trios de qualquer coisa, ficando um dos seus integrantes no sofá com

Edwina. No centro, uma grande mesa baixa, sobre a qual eram servidos salgadinhos e *soft drinks*, isso na época da TV aberta, porque ali, na sala de espetáculos, o serviço evoluíra para incluir uma garrafa de uísque, cujos fabricantes eram um dos principais patrocinadores do negócio. Em compensação saíram os salgadinhos, porque chegou-se à conclusão meio tardia de que era meio ridículo as pessoas comerem enquanto falavam. Por fim, um pequeno púlpito, logo se verá por quê.

Antes de mim, a atração era um cara que mudara de sexo, cuja entrevista eu acompanhava fragmentariamente, primeiro num televisor, com o rabo do olho, ali na agitação dos bastidores, e depois na plateia, confesso que com um desejo cruel de desmascará-lo, nem que fosse para mim mesmo, pois o tempo todo ele, ou ela, usando um vestido longo como o da própria Edwina mas com um decote ainda mais ousado, procurava passar uma impressão de finesse, delicadeza e fragilidade, falando com orgulho de seu marido, um argentino, que ocupava uma função de assessoria na Cosméticos Solange. Nome, este último, do transexual, que depois do matrimônio adotara o sobrenome do marido, passando a assinar Solange Martínez. Ela começara de baixo, vendendo cosméticos de porta em porta e em repartições públicas, juntando dinheiro não só para lançar sua própria linha de produtos, como para a operação caríssima nos Estados Unidos, até chegar àquele momento máximo do casamento com véu e grinalda, celebrado em Amsterdam, a que o público pôde assistir, em parte, ali em vídeo.

— Quer dizer que você casou virgem? — perguntou Edwina, sorridente, segurando a mão de Solange no sofá.

— Olha, posso garantir a você e ao público, Edwina, que fui a mais virgem de todas as noivas — Solange disse, ruborizando e baixando os olhos.

Aplausos.

O que ela queria dizer, evidentemente, embora Edwina fizesse questão de deixá-lo ainda mais claro numa pergunta posterior, que julgo desnecessário reproduzir, era que ninguém usara antes de Carlos Martínez o que quer que tivessem edificado em seu corpo no lugar do pênis — uso o mesmo eufemismo que Edwina.

À sugestão de alguém, que gritara da plateia para que Solange mostrasse ao menos os seios, ela colocou uma das mãos sobre o decote, num gesto gracioso de recato, e disse:

— Eu sou uma mulher casada.

No meio de muitos aplausos, uma forte luz incidiu sobre um sorridente mas encabulado Carlos Martínez, que pôs um braço diante do rosto, como se ofuscado pela iluminação, numa das últimas fileiras da plateia, onde eu também já me encontrava aguardando o momento de subir ao palco, conforme fora instruído pela produção chefiada por um jornalista conhecido meu, Guilherme Fabiano, que, com a mão em meu ombro, me levara até uma poltrona reservada. Fora ele quem me encaixara no programa, para ganhar um cachê fácil, segundo suas próprias palavras, mas detesto que me toquem assim e tive vontade de dar-lhe um safanão e ir-me embora naquele momento mesmo, pois estava sentindo aquela claustrofobia que incluía estar enclausurado em meu corpo. No entanto, apenas respirei fundo, pois precisava agir como um homem maduro e correr atrás da grana.

Mas, voltando a Carlos Martínez, ele me surpreendia por contrariar todas as minhas expectativas de ver um típico cafajeste portenho, amante e explorador de um travesti. Pois quem se encontrava ali era um senhor de seus quarenta e poucos anos, com entradas nos cabelos grisalhos e vestindo impecavelmente um terno cinza bem cortado e sóbrio, com uma gravata listrada em cores apenas alegres e um lenço azul no bolso superior do paletó. Eu tentava assim decifrá-lo quando logo a luz deixou de incidir sobre ele e todas as atenções se voltaram para o palco, onde Solange já se despedia de Edwina. Logo seria a minha vez e confesso que estava um pouco nervoso.

Obviamente eu não tinha cacife para ser o último dos entrevistados; seria o penúltimo, como uma espécie de verniz literário com que Edwina lustrava seus shows; um interlúdio intelectual, uma encadernação, antes da atração principal da noite, uma cantora e compositora muito bonita, oriunda de uma tradicional família paulista, e até de alto nível: Luísa Monteiro, que dispensaria apresentações e qualificações não fosse pelo fato de, numa carreira turbulenta e cheia de interrupções, sua fama e notoriedade, para o grosso do público, se dever a fatores não artísticos, como alguns escândalos pesados e um problema de alcoolismo e drogas, com o dramático e o trágico sempre à sua espreita, como se sabe ainda melhor agora. Seu apelido no meio artístico era Miss Jekyll Hyde, por sua grande classe quando sóbria e total desequilíbrio e descompostura depois da segunda dose.

Mas não quero quebrar nesta narrativa a sequência dos fatos com sua causalidade e também sem desprezar os lances do acaso. Quero esses fatos em estado bruto, nos momentos em que foram vividos, sem que se soubesse o que a cada um de nós estava reservado. E, voltando a Edwina, a linha do seu talk show, apesar do que eu já disse e de entrevistados como eu, e atrações como Luísa, era mais do tipo "para cima" do que "para baixo" e, em princípio, se se acreditar no melhor das pessoas, estava tudo preparado para que a cantora, depois de ter passado um tempo numa clínica, fosse exibida como um triunfo da força de vontade, depondo sobre sua luta contra as malditas dependências, para depois brindar o público com algumas de suas maravilhosas composições e interpretações — e aqui não há lugar para ironias.

Mas, ainda nos bastidores, eu ouvira comentários preocupados de que a produção não estava conseguindo localizar Luísa, embora sua empresária garantisse pelo telefone, de São Paulo, que ela tinha embarcado completamente sóbria e monitorada por um celular, para o caso de sentir alguma instabilidade emocional no Rio — num voo que decolara de Congonhas às dezesseis horas.

Por que a empresária não viera junto? Porque Luísa simplesmente recusara sua companhia, dizendo que estava cansada de amas-secas e queria se experimentar sozinha e livre, e até lhe dera um beijo de despedida na testa. E, talvez por isso, ou por esquecimento, não religara o celular ao descer no Santos Dumont. Sim, porque descer no Rio ela descera, pois era uma pessoa que gozava de certa notoriedade, apesar do seu mais recente período de ostracismo, e fora reconhecida no aeroporto. Só que o avião pegara um forte vento de cauda e pousara sete minutos adiantado, e quando a Ciça, assistente de produção do programa, chegara ao Santos Dumont, na hora prevista, Luísa simplesmente desaparecera.

Quem me contara isso fora Guilherme Fabiano, insistindo em tocar a mão no meu peito, uma mania dele, o que me fazia recuar, até quase ficar encurralado numa parede. Se não houvesse interrompido sua fala, em um ou outro momento, para falar no celular e tomar providências ansiosas relativas ao show, poderia ter levado um empurrão meu, que se danasse a minha participação no programa.

Edwina ainda não fora avisada do misterioso extravio de Luísa, para não ficar tensa por antecipação, explicou-me o Guilherme, que ainda se dignou a perguntar-me, sem esperar resposta, o que eu achava de retirar a garrafa de uísque da mesa, ou, pelo menos, substituí-la por outra, com o rótulo mas contendo guaraná ou muita água misturada ao uísque, durante a participação da cantora. No próprio contrato de Luísa, assinado por sua empresária, havia um discreto adendo, em letras pequenas, de que ela devia apresentar-se sóbria.

— Pois, pensando bem, se a garrafa, com o rótulo bem visível, não aparecer logo na atração principal, os patrocinadores podem estrilar, e com razão. Só que eles não imaginam que pode ser muito pior para a imagem do produto se Luísa fizer cara de desagrado ou cuspir o conteúdo. Você não sabe como é foda produzir esse negócio — ele prosseguiu no seu talk show particular, insistindo em tocar no meu corpo. — De qualquer modo, se Luísa recusar um drinque, mesmo do nosso uísque, seria uma excelente demonstração de sua recuperação, não seria? — ele perguntou, novamente sem esperar resposta. Era como se argumentasse consigo próprio, esquecendo-se de que eu já devia estar na plateia, assistindo à primeira parte do show, como era a praxe com os convidados. Uma praxe que Luísa já descumprira e talvez ele quisesse de fato algum conselho, ou se exibir para mim. Ou quem sabe só conseguia pensar diante de um interlocutor, ainda que mudo?

— Por outro lado, se ela beber moderadamente, o que aliás é um dos lemas dos nossos patrocinadores, poderemos assistir a uma performance mais espontânea, imprevisível até musicalmente. Pois quando Luísa canta ainda na primeira dose, ou no início da segunda, suas interpretações são de arrepiar uma escultura de bronze e ela é capaz até de compor ao vivo. Então as duas hipóteses são boas, apesar dos riscos da segunda, pois suponhamos que ela tenha tido uma recaída e tomado duas doses no Santos Dumont. Para ela, nos bons tempos, daria fácil, fácil. Aí, se ela quiser continuar sua happy hour aqui no show, pode armar um escândalo quando sentir que foi lograda no uísque, ou mesmo por algum outro motivo que ainda não cogitamos. Miss Jekyll é uma verdadeira dama, mas Miss Hyde uma vez cuspiu num pianista quando ela própria derrapou em algumas notas de uma canção. O músico imediatamente pegou a cabeça de Luísa e começou a bater com ela nas teclas do piano, enquanto arrancava algumas notas da "Marcha fúnebre" com a mão esquerda, o que tinha uma significação óbvia para os conhecedores, pois Luísa já tentara o suicídio duas vezes, para citar apenas as que chegaram ao público. Nem posso imaginar a reação de Edwina se ela levar uma cusparada ou uma borrifada de uísque se este não for do agrado de Luísa. Edwina pode se engalfinhar com a cantora e foda-se o show, não nos esqueçamos de que Edwina, ao contrário de Luísa, viera de baixo, e eu sei bem o que se esconde atrás daqueles sorrisos.

Eu era capaz de ler no cérebro do Guilherme que ele se rejubilaria com esse desfecho sensacional para o programa, conforme traiu em suas palavras seguintes.

— Bem, estou construindo castelos no ar, pois, antes de tudo, Luísa tem de aparecer. O celular que a está monitorando não responde, você mesmo pode ouvir (*ele pôs o aparelho no meu ouvido e só se escutava "fora de área ou desligado"*), e já existe quem esteja pensando no pior.

— Que pior? — eu afinal pude dizer alguma coisa.

— Não, não chega a ser o que você está pensando. Apenas Luísa pode ter parado em algum bar no caminho do aeroporto para cá e ficado por lá, como se fosse a coisa mais natural do mundo vir ao Rio só para tomar uns drinques. Isso se ela se der conta de que está no Rio.

— Já verificaram o bar do aeroporto?

— É lógico. Foi o primeiro lugar que a Ciça, minha assistente, pensou, e também deu uma conferida no Villarino, no Amarelinho e outros botecos aqui das redondezas. Nada de Luísa.

— Menos mau que Edwina também é cantora — eu disse, sem mexer um músculo da face.

Os leitores mais velhos devem se lembrar da figura e da voz de Edwina em seus áureos tempos da TV aberta; de seu repertório que ia de Sílvio Caldas, Noel, Dolores Duran, Domenico Modugno a Chico Buarque, Milton, Caetano, só que numa interpretação bem mais expressionista que a dos compositores ou outros intérpretes das composições.

Guilherme pareceu considerar a ideia por alguns instantes, mas logo retrucou:

— Não brinca, não, que a Edwina já fez alguns sinais despistados querendo saber da Luísa, desconfiada, e a gente enrolou ela. Vê se dá uma força se ela ficar nervosa, porque você pode acabar fechando a noite, se a cantora não aparecer. Quem sabe é a sua grande chance? Capricha.

Foi então que ele pôs a mão em meu ombro e foi me levando para a plateia, às escuras, fazendo-me sentar numa poltrona com uma fitinha com o meu nome, ainda a tempo de ver e ouvir, ao vivo, uma parte da entrevista com Solange Martínez, cujos pontos mais importantes já narrei acima.

2

Depois de Edwina ter se retirado do palco por uns dois minutos, chegou, afinal, a minha vez. Ao som, em off, de uma musiquinha aliciadora, Edwina pôs-se a fazer a vaselinagem de praxe, resumindo a minha carreira, minha aura de autor difícil, quase maldito, apesar de um ou outro prêmio, e não muitos mas fiéis aficionados. Breves dados que ela lia numa folha de papel e que não vejo necessidade de repetir aqui, pois devem ser mais ou menos do conhecimento de vocês, pelo menos os que são meus leitores habituais. Mas de um dos prêmios serei obrigado a falar mais tarde, pois faz parte desta história.

Quando Edwina terminou, chamando-me por fim, fui capturado por um foco de luz que me guiou até o palco, ao som do prefixo musical do show, executado por um pequeno conjunto quase escondido num pequeno fosso e sob os aplausos de uma obediente claque, puxados por Edwina. Uma parte dos ingressos era distribuída gratuitamente, mas os contemplados passavam por uma inspeção de vestuário e aparência geral, além de se comprometerem a se divertir, aplaudindo e rindo nos momentos apropriados. Eu ficara sabendo disso e de outras coisas quando fora contatado pelo Guilherme. Na verdade, ele me contara isso para me animar, mas minha relutância só fora vencida pela promessa dos dois mil e quinhentos reais, que, a princípio, ele omitira, tentando me levar na conversa de que participar do programa era boa publicidade para os meus livros.

Já o público pagante podia até vaiar se quisesse, o que não deixava de ser interessante para o show, porque gerava controvérsias, e havia quem considerasse o talk show de Edwina pelo avesso, como um programa cult. Apesar do patrocínio do uísque, bêbados e malucos não eram admitidos. Convites eram oferecidos a jornalistas que cobriam o mundo dos espetáculos, ou interessados em escândalos e fofocas; a parentes e amigos dos entrevistados; mas eu, obviamente, não convidara ninguém. E, se houvesse ali entre os presentes algum dos meus poucos amigos, seria contra a minha vontade ou até para me sacanear.

Logo que me acomodei numa das poltronas do palco, pois queria manter uma certa distância de Edwina, esta me advertiu:

— Não está esquecendo de alguma coisa?

— De quê? — eu disse surpreso.

— O juramento. — Ela deu aquela sua risada, famosa desde os tempos da TV aberta, estampando uma simpatia exagerada.

Ah, o juramento. O Guilherme havia me explicado por alto o lance do juramento e eu vira Solange prestá-lo, pelos circuitos internos de TV. Mas, com toda aquela conversa sobre Luísa Monteiro, que acabara me deixando também preocupado, eu me esquecera completamente do ritual. Levantei-me, caminhei até o púlpito, subi uns três ou quatro degrauzinhos, pus a mão direita sobre um exemplar da Bíblia e disse:

— Eu, Célio Andrade, juro dizer a verdade, somente a verdade, nada mais do que a verdade.

Quando Edwina perguntou se eu aceitava tomar alguma coisa, percebi que aquele juramento me impregnara de alguma forma, pois fui logo entregando mais do que a pergunta pedia:

— Um uísque, por favor. Mas com bastante gelo e água mineral, pois ando muito agitado e tomando certos medicamentos.

Enquanto um misto de mordomo e contrarregra, vestindo um smoking, me servia o drinque, Edwina insinuou:

— A angústia da criação?

— Mais ou menos isso. Aliás, pior. Estou me afundando na tarja preta. E há também o café e os cigarros. Eu sei que aqui não é permitido fumar, mas gostaria pelo menos de segurar um cigarro apagado, posso?

— Infelizmente não, meu querido. Seria de todo modo uma propaganda do fumo, que está proibida.

— Certo, Edwina, você é quem manda. Mas para resumir aquelas sensações que descrevi no início desse depoimento, parece até que há maus espíritos me rondando.

Edwina entrou com tudo naquela brecha:

— Você é espiritualista?

Cheguei a pensar em falar nas delícias da alma sem corpo, ou mesmo na doce eternidade do nada, mas desisti e disse:

— Não, Edwina, foi apenas um modo de falar.

Eu tentava controlar minha impaciência, mas Edwina parecia não se dar conta disso:

— Olha, eu, se fosse você, fazia uma consulta. Posso lhe indicar um centro bem discreto em Madureira. E se você for uma dessas pessoas tecnológicas, o pai Assis tem um endereço eletrônico.

— Obrigado — eu disse, para encerrar o assunto.

O talk show era desse gênero. Edwina podia improvisar naquilo que o seu nível cultural e intelectual permitia, como já fizera com Solange Martínez, mas, em boa parte do programa, se alavancava em perguntas preparadas pela produção, que ela lia no roteiro. A primeira delas, para mim, dizia respeito ao tema que atraía a maior parte do público, tanto no teatro como em casa, pela TV por assinatura: sexo. "Se o sexo em minha vida era tão presente e fundamental quanto em meus livros?"

— Para falar a verdade, atualmente não. Ando até meio encolhido, em todos os sentidos. (*o público riu*) Pode ser a idade, não sei. Sessenta anos é um bocado de chão. Mas a libido, nem que seja verbal, está presente em todos os meus livros. É o que lhes dá força: a libido verbal. Só que não tenho conseguido controlá-la e não sei se é impotência ou ejaculação precoce, o que no fundo dá na mesma. E sinto uma aflição terrível. Faria qualquer coisa para ter um pouco de paz e isso é muito perigoso.

Edwina me lançou um olhar penetrante, como se, num lampejo, houvesse compreendido todas as significações embutidas na minha última frase. E poderia ter aproveitado a deixa para me perguntar sobre morte e suicídio, temas a respeito dos quais eu conseguiria discorrer à vontade. Na verdade, eu estava acometido pela ânsia catártica dos que aprisionam por muito tempo os seus sentimentos. E, com aquele juramento, era como se devesse cavá-los fundo. Mas talvez ela não quisesse baixar o astral do programa, sei lá. Como também não sei se foi isso — o fato de me sentir incompreendido —, ou se foi a pergunta seguinte, que despertou em mim uma certa belicosidade.

— Você poderia explicar ao nosso público o que é libido verbal?

— Poder, posso, mas acho que o pessoal deveria ver menos televisão e ler um pouco.

Encarei Edwina e perguntei com a máxima seriedade:

— Já ouviu falar em Freud?

Ela respondeu à altura:

— Não, meu bem, não.

Fiz-me de desentendido e me dirigi diretamente ao público, que me ouviu com extrema atenção, mesclada com algum temor:

— Sigmund Freud, um médico judeu-austríaco que instituiu as bases da psicanálise. Considerava o instinto sexual como a energia motora de toda atividade humana, podendo ser canalizada para fins mais nobres, como o trabalho, a cultura, a civilização em suma. Libido verbal é quando essa energia se transmuta em palavras, literatura, mas, no fundo, está lá pulsando, mais, ou menos, oculto, o sexo, que pode revestir-se com uma roupagem mais sublime no amor.

Ao som desta última e mágica palavra, parte da plateia ensaiou alguns aplausos tímidos, com sorrisos de simpatia, discretos, como se o público não tivesse segurança de como comportar-se em minha presença. Edwina, apesar de me fuzilar com olhos frios, sustentava um sorriso congelado na boca. Mas aplausos são aplausos, venham de onde vierem, e eles me animaram a arrematar:

— E talvez eu tenha levado minha libido a um limite tão radical e remoto no meu último livro, que não tenha mais como continuar. Não foi à toa que lhe dei o título de *Adeus*.

Ao ouvir isso, o rosto de Edwina se iluminou, enquanto ela dava uma conferida no resumo da minha biografia.

— Mas você ganhou com ele um Jabuti. É um prêmio importante, não é?

A razão de sua alegria súbita ficou patente no gancho que lhe ofereci em seguida, sem nenhuma conotação irônica que já não estivesse contida no fato em si.

— Você deve saber, Edwina, pois, ao que eu me lembre, você também ganhou o prêmio com a sua autobiografia.

O livro de Edwina não só ganhara o prêmio, como permanecera mais de um ano na lista de mais vendidos. Contava sua trajetória desde uma infância humilde em São Carlos, no interior paulista — região cujo sotaque Edwina ainda carregava em boa parte —, até ela chegar ao que entendia como topo. Não que eu tivesse lido o livro, mas fora impossível ler os jornais da época sem saber desses acontecimentos. Mas foi com modéstia que ela confirmou:

— Sim, ganhei e fiquei muito orgulhosa. Mas devo confessar que o jornalista Guilherme Fabiano me ajudou a escrever o livro, que ditei para ele. Mas não estamos aqui para falar de mim. Você poderia contar ao nosso público do que trata o *Adeus*?

Dessa vez me dirigi ao público com respeito e cortesia:

— *Adeus*, basicamente, é a história de um homem que, ao completar sessenta anos, dá uma festa de despedida para um misterioso personagem, cuja identidade, até quase o final da festa, é mantida em segredo para os outros convidados, em sua maioria mulheres, que passaram pela vida do anfitrião. Esse anfitrião, e narrador da história, é gêmeo de duas irmãs. Elas, univitelinas, ou seja, tendo compartilhado o mesmo óvulo no útero materno; ele, isolado em outro óvulo, o que aliás o torna fisicamente diferente delas. Como já disse, várias mulheres passaram por sua vida, mas, no fundo, ele sente que o que busca é mítico, utópico: sair de seu isolamento visceral para unir-se, num outro óvulo, agora de modo figurado, às irmãs. Que ele ama bem mais do que fraternalmente, e é correspondido, num segredo que todos os três vivem silenciosamente. E ele só pode juntar-se a elas, para viverem sob o mesmo teto, depois da maturidade e consequente declínio sexual de todos, a fim de que não haja a tentação incestuosa. Então a festa de despedida é para o seu pau (desculpem-me a crueza da palavra), o misterioso homenageado da reunião. Na verdade, trata-se da busca, e no papel a realização simbólica, de um amor absoluto, na relação espiritual entre um irmão e suas irmãs gêmeas, como se voltassem a boiar, então unidos, no ventre materno.

Quando eu falara em despedida do pau, Solange Martínez fora iluminada na plateia e focalizada por uma câmara. Foi só nesse momento que eu soube que ela ficara para assistir a minha entrevista, à qual acompanhava atentíssima, com os olhos brilhando de comoção, como pude ver num monitor instalado num canto do palco. Confesso que isso me agradou e que também eu estava comovido, a ponto de terminar minha narrativa com um suspiro e o seguinte comentário:

— Talvez a velhice nos torne não maduros, mas crianças, não é mesmo, Edwina?

Os aplausos para mim, dessa vez, foram entusiasmados e emocionados, como se eu acabasse de descrever para o público a sinopse de uma novela de TV. Edwina também aplaudiu, mas foi só voltar o silêncio para ela me lançar — talvez por vingança contra a farpa da velhice que eu lhe lançara, ou talvez por profissionalismo mesmo — a seguinte observação:

— Quer dizer que na cama apagou-se a chama. — Edwina riu para a plateia, que caiu na gargalhada, obedecendo àquele comando, numa súbita reviravolta de sentimentos.

— Isso rima, Edwina — eu disse. — Mas não deixa de ser verdade. Há horas em que sinto que está prevalecendo em mim Tânatos, o impulso da morte. Mas quem sabe um estímulo novo, como um amor proibido, maldito, talvez por uma adolescente, não poderia recolocar tudo nos eixos? Tive uma formação excessivamente cristã e o sexo, para mim, tem de vir com sabor de pecado.

Era tudo de que Edwina precisava:

— Alguém assim como Solange Martínez não poderia reavivar a chama? — Ela deu o seu sorriso mais cândido e, portanto, o mais ardiloso, que sua claque soube acompanhar. Fiquei cabreiro, mas contracenei à altura:

— Solange Martínez é uma senhora casada. — Sorri com bonomia, satisfeito de ter saído daquela armadilha com uma tremenda presença de espírito.

Os aplausos para mim foram inequivocamente gentis e demorados, e a própria Edwina aplaudiu com visível sinceridade. Olhei para Solange e Carlos Martínez, que sorriam, radiantes, novamente iluminados na plateia. Mas eu devia saber que minha vitória era passageira, pois, tão logo retornou o silêncio, Edwina deu mais um passo na escalada:

— Mas suponhamos que ela não fosse.

Aquela pergunta me desconcertou, para falar a verdade me emputeceu. Eu precisava de tempo para refletir, pois não estava a fim de ofender Solange nem Carlos Martínez. E minha perturbação se traiu no gesto de estender a mão para a garrafa de uísque, erguendo-me ligeiramente na poltrona. Antes que pudesse alcançar a garrafa, o mordomo se adiantou e serviu-me. Aproveitando a deixa, entrou no palco pelas coxias uma bela moça, trajada com uma elegância juvenil: um vestido florido e curto o suficiente para que ela exibisse suas bonitas pernas. Supus, corretamente, como depois se confirmou, que era a Ciça, assistente do Guilherme. Confabulou um pouco com Edwina, deixou em suas mãos uma folha de papel e se retirou. O fato é que houve um branco no show, que se refletiu também no rosto de Edwina, que empalideceu. E sem esperar por minha resposta àquela pergunta embaraçosa, ela levantou-se do sofá, expondo a parte inferior do seu corpo, que lhe era bem menos favorável, porque não sofrera nenhuma plástica, e aproximou-se da beira do palco e dirigiu a palavra ao público, lendo na folha que lhe fora entregue:

— Tenho um comunicado importante a fazer — ela disse. — Como todos vocês sabem, sempre procuramos dar o melhor ao nosso público. E, para o encerramento do show de hoje, anunciamos uma grande cantora e compositora: Luísa Monteiro. Como também deve ser do conhecimento de muitos de vocês, Luísa andou tendo uns probleminhas de dependência de álcool e talvez de outras substâncias. Acompanhamos de longe, mas atentamente, sua luta pela recuperação, internando-se por vontade própria numa clínica e, ao que tudo indica, estaria completamente curada, para fazer sua *rentrée* justamente em nosso programa. Esperamos com fé que assim seja.

"Nesse ponto, não custa lembrar que temos, como nosso principal patrocinador, uma das marcas mais tradicionais de uísque no país, o Highlands Viking, e todos são testemunhas de que em sua publicidade é realçado que devemos beber por prazer e com moderação.

"Até agora não podemos ter cem por cento de certeza da presença de Luísa Monteiro aqui esta noite. Mas ainda estamos torcendo para que isso aconteça. E o que podemos informar, por enquanto, é o seguinte:

"Luísa embarcou num voo da ponte aérea em São Paulo, às dezesseis horas, tempo mais do que suficiente para estar aqui no teatro bem antes da hora marcada, às dezoito e trinta, juntamente com os nossos outros convidados e com mais tempo ainda para preparar-se para a sua participação, encerrando a noite, às vinte horas e trinta minutos. E podendo voltar para São Paulo hoje mesmo, como disse que pretendia. Comprometeu-se a doar o seu cachê aos Alcoólicos Anônimos."

Aqui houve outra pequena interrupção por causa dos aplausos do público. Edwina agradeceu-os e prosseguiu:

— Não temos como saber o que se passou com Luísa durante o voo, ou se tomou algum calmante para relaxar. Mas algo é certo: o avião aterrissou no Rio de Janeiro sete minutos antes da hora prevista e Luísa veio dentro dele. Infelizmente, a Ciça, da nossa produção, chegou ao aeroporto na hora prevista para o desembarque e não conseguiu localizar Luísa em parte alguma. Depois de muito procurar, pesquisar, telefonar, a nossa querida Ciça apurou o seguinte. Naturalmente Luísa estava com passagem de ida e volta, fornecida por nós. E talvez porque tenha ficado insegura, ou um pouco confusa, depois do tempo em que se recolheu à clínica, tomando medicamentos, Luísa, ao ouvir o chamado do voo das dezessete horas para São Paulo, foi até o balcão de embarque da ponte aérea, trocou sua passagem de volta por uma ficha de embarque e retornou à capital paulista.

A essa altura o público já estava rindo cheio de simpatia, e Edwina não se mostrava mais nervosa e improvisava um pouco.

— Podemos até supor que Luísa pensava que estivesse embarcando para o Rio. Ah, essa vida maluca dos artistas.

O público agora dava gargalhadas e eu tirava o meu chapéu para Edwina.

— Mas sua empresária já fora avisada e foi encontrá-la no aeroporto. E, vejam bem, por insistência de Luísa, comprou-lhe outra passagem de ida e volta para o Rio, o que demonstra a imensa vontade da artista de estar aqui com vocês. E nossa última informação é de que Luísa embarcará daqui a meia hora do Aeroporto de Congonhas, ainda a tempo de cantar para vocês, que, tenho certeza, a receberão com simpatia e carinho. Haverá um carro nosso esperando-a no Santos Dumont e, dessa vez, vamos pegá-la a laço no desembarque.

Suspirei, aliviado, como se aquele fosse um problema meu.

Só não imaginava o que vinha a seguir; que Edwina fosse retomar comigo do ponto onde parara.

— Enquanto isso, prossigamos com o nosso simpático entrevistado. Não pense que vai escapar da pergunta.

— Que pergunta? — Eu fiz um ar de surpresa, com a esperança de que Edwina pelo menos amenizasse a questão anterior. Mas não. Ela foi inflexível:

— E se Solange Martínez não fosse uma mulher casada?

— O que que tem? — Fiz-me de bobo.

— Ela poderia reacender a sua chama?

"O que você está querendo insinuar, Edwina? Se está achando que vim aqui para ser insultado..." era mais ou menos o que eu ia dizer mas não disse. Pois foi nesse momento que se deu o milagre ao mesmo tempo espiritual e tecnológico. Num dos monitores que se colocavam nos cantos do palco, com certeza para Edwina orientar-se eu vi a montagem que juntava, no mesmo quadro, eu, Solange e Carlos Martínez. E posso dizer que foi a primeira vez que os percebi — penetrei-os mesmo — verdadeiramente. Solange, com seu ar um tanto travesso, talvez por sua origem sexual ambígua; com seu vestido azul, ao mesmo tempo leve e elegante, com um decote no limite certo para garantir, sem ostentação, a sua feminilidade; com seu sorriso um tanto tímido mas confiante, como se ela anunciasse ao mundo sua felicidade de recém-casada. E havia, sim, em seu bonito rosto, um ou outro traço masculino, mas não tão grosseiro a ponto de não poder ser encontrado em outras mulheres. Solange não era, de forma alguma, um simples travesti, eis a verdade. E se no olhar que ela oferecia à câmara havia um toque de sedução e encanto, ele traía também um quê de angústia, de expectativa, diante da minha, de todos os modos difícil, resposta.

No entanto, mais impressionante — e estimulante enquanto enigma a ser decifrado — era Carlos Martínez. Atingido por um forte foco de luz, seus olhos, atrás de óculos, pareciam dirigir-se a lugar nenhum, embaciados e inseguros como os de um cego. E foi essa cegueira momentânea, somada às suas entradas no cabelo, seu terno discreto e bem cortado, a gravata alegre porém clássica — enfim, toda a sua aparência de um cavalheiro argentino à antiga, que fez-me pensar num frágil e heroico Carlos Martínez. Havia algo de nobre, comovente e quixotesco nele, oferecendo à câmara, a mim e a todos os presentes um rosto altivo, uma dignidade e coragem que, desde logo, repeliam bravamente quaisquer possíveis afrontas à sua esposa. E se levei algum tempo para descrever em separado suas características, isso não quer dizer que eu não as apreendesse num relance, em sua absurda coragem para arrostar o mundo. E, antecipando-se a qualquer resposta minha, Carlos abraçou-se a Solange, eu diria que como um náufrago, mas de um naufrágio muito especial: o dos que submergem, com a pessoa amada, nas profundezas mais densas da vida, tendo como única segurança um amor acima de tudo.

Eu disse, antes, que havia uma misteriosa intimidade entre nós três, proporcionada pela montagem no vídeo. Mas, se isso era verdade, também ficava visível, para mim, a minha esmagadora solidão e exclusão, como a do feto segregado num óvulo, tentando desesperadamente alcançar o outro óvulo onde se encontravam suas irmãs gêmeas. E, entre todas as figuras no vídeo, a que mais acabou por me comover foi a minha própria: eu ali com meu surrado colete de tantas histórias; meus vincos no rosto, os tiques nervosos; a palidez mortiça dos que transferem sua vida para as folhas de papel, sempre se equilibrando na corda bamba sobre o precipício do fracasso. Se havia alguém anômalo ali, era eu. E, capturado na teia de Solange e Carlos Martínez, senti toda a minha couraça se derreter.

— Para o amor não há barreiras, Edwina. Vejo isso nitidamente em Solange e Carlos e os invejo. Mas Carlos chegou na frente e cavalheiros sabem respeitar-se.

Essa foi a minha resposta à pergunta de Edwina Sampaio. E quando a formulei, senti meus olhos se umedecerem.

Carlos e Solange afundaram um no outro os respectivos rostos e é quase desnecessário falar nos aplausos entusiásticos para todos nós. Edwina sorria satisfeitíssima, e tão logo sobreveio um pouco de silêncio, ela deu dois tapas no assento do sofá e disse para mim:

— Senta aqui do meu ladinho, senta.

Obedeci mecanicamente e fui sentar-me no famigerado sofá de entrevistas de Edwina Sampaio.

— Quer dizer que o amor tudo pode, não é, benzinho? — ela reiterou, com a sua proverbial vocação para a redundância, e eu apenas fiz que sim com a cabeça, pois estava perturbado demais para falar. Tudo aquilo tinha a atmosfera de um sonho.

Edwina me abraçou, maternalmente — talvez sinceramente comovida, como eu, ou seria aquilo puro *métier*? De modo que minha cabeça pousou em seu ombro, bem próxima a seu busto. Quanto ao que aconteceu em seguida, talvez possa ser explicado por um colapso nervoso que já se anunciava havia muito tempo em mim, e também por uma libido subitamente destampada e remetida a seus primórdios; e ainda por uma mistura do álcool — que eu vinha tomando em pequenos goles, servido pelo contrarregra mordomo — com os remédios que eu tomava, mistura de resultados imprevisíveis, conforme as bulas, tudo isso fazendo com que, já me encontrando num palco, eu me considerasse livre para materializar qualquer desejo ou fantasia. Mas nada do que aconteceu aconteceria, sem dúvida, não fossem os inacreditáveis seios de Edwina Sampaio, que não só eu sentia, um deles, sob minha face, como contemplava, o outro, no interior do folgado decote em V no vestido longo da apresentadora.

Eram seios perfeitos, como os de uma escultura de mestre, talvez Rodin, mas com a vantagem de não serem de bronze. Eram firmes, porém macios, com os bicos róseos apontados para cima, numa admirável obra da engenharia plástica. Aqueles, eu diria, eram seios construídos de acordo com um determinado ideal, não importa que em desacordo com outras partes do corpo da apresentadora, as quais, aliás, eu não podia ver na posição em que me encontrava. E num dos gestos mais espontâneos de minha vida — apesar de iluminado por refletores e focalizado por câmaras, e diante de uma plateia muda e estarrecida, a não ser por ohs! e ahs! — enfiei uma das mãos dentro do decote de Edwina, para acariciar um de seus seios, enquanto minha boca procurava o outro, aflitamente, para beijá-lo, o que fiz, bem no mamilo, sem que Edwina opusesse resistência alguma, talvez estupefata, ou, quem sabe, embevecida, pois, como pude ver com o canto do olho, e depois na TV, ela apenas, com um afastar trêmulo dos lábios, parecia sorrir.

3

Fosse lá quem fosse que dirigia o show naquele momento, achou por bem fazer cerrar as cortinas depois de uns quinze segundos daquele quadro vivo, que um colunista de TV chamou, posteriormente, de *Édipo e Mona Lisa*, esta última por causa do sorriso enigmático de Edwina, e o primeiro por motivos óbvios. Outro colunista, em outro jornal, deu à cena o título de *Madonna* (com dois enes, que remetiam à desinibida cantora) e o *Anticristo*. Aliás, nada disso é segredo para ninguém, pois saiu na imprensa, enquanto o que interessa aqui é a versão de bastidores, ou seja, a minha própria, que é a seguinte:

Tão logo ficamos fora das vistas dos espectadores e também a luz da câmara que nos filmava em close se apagou, Edwina ajeitou o vestido, aprumou-se e se dirigiu a um canto das coxias, onde se encontravam Guilherme e outro sujeito, este com fones de ouvido dependurados no pescoço, que devia ser o diretor do programa, pois foi a ele que ela disse, embora sem muita ênfase:

— Você vai cortar isso, não vai, Renato?

— Não sei ainda, Edwina, preciso refletir. Você se saiu muito bem, não saiu, Guilherme?

— Com uma presença de espírito fantástica — disse o Guilherme, embora com uma expressão um tanto preocupada. — Mas é preciso saber a opinião dos patrocinadores.

Disfarçando um ar de satisfação pelos elogios e demonstrando um alto grau de profissionalismo, Edwina se preocupava com aquilo que podia ser considerado uma falha de produção do show.

— E falta Luísa. Não a vi na plateia nem aqui nos bastidores. Afinal, ela veio ou não ao Rio?

— Que ela embarcou de novo em Congonhas, com sua empresária Marta Torres, e desembarcou no Santos Dumont é indiscutível — apressou-se a explicar o Guilherme. — Falei com a empresária pelo celular e ela me disse que Luísa não apenas estivera no voo, como ensaiou a meia-voz, a bordo, uma belíssima canção francesa que vocês devem conhecer: "Que reste-t-il de nos amours?", de Charles Trenet e Léo Chauliac. Segundo Marta, ela pretende brindar, e não uso essa palavra em vão, o nosso público com essa pérola do cancioneiro francês.

— Mas onde está ela? — disse Renato, irritado.

— Bom, o lado ruim da coisa — falou o Guilherme — é que o avião aterrissou com Luísa quase apagada em sua poltrona. E teve de ser amparada por sua empresária e uma comissária para desembarcar. Então foi levada ao serviço médico do aeroporto. Não que estivesse bêbada, ela cumpriu sua promessa, mas possivelmente os remédios controlados que toma a deixaram fora de combate. Mas, ainda segundo Marta, ela está dando sinais de recuperação.

— Vamos dar mais uns dez ou quinze minutos — disse Renato. — Enquanto isso o nosso conjunto musical continuará distraindo o público. Mas talvez você tenha de cantar no lugar de Luísa, Edwina. Com a sua experiência, tenho certeza que dará conta do recado.

— Bem, eu conheço essa canção francesa. Já cantei ela antes. É linda.

— Ótimo — disse Renato —, você já pode mudar de roupa, mesmo que seja apenas para apresentar Luísa. Pois não acho próprio você continuar vestida como na última cena.

Dito isso, ele passou o braço direito em torno dos ombros de Edwina, enquanto Guilherme punha a mão esquerda em sua cintura. E foram conduzindo-a até uma porta no fundo de um corredor, que imaginei ser a porta do camarim. Abriram-na e entraram os três ali.

E eu? Bem, até aquele momento eu continuava sentado no sofá, como um bestalhão, sentindo-me desamparado e abandonado. Queria escapulir dali o mais depressa possível, mas havia uma questão importante a resolver: o meu pagamento. Como precisava esperar o Guilherme para resolvê-la, resolvi ir até a mesa e renovar a minha dose. Estava atrás da cortina e não havia problema. Mas, inadvertidamente, cometi um erro grave, resmungando: "Highlands Viking, há um erro histórico nesse uísque. Ao que eu saiba, não havia vikings na Escócia". Por um desses imprevistos tecnológicos, o som vazou para a plateia, e sabia-se lá para onde mais. Imediatamente um dos técnicos correu até mim e tirou o pequeno cabo do microfone que tinham esquecido em minha camisa.

Não achei nada melhor a fazer do que ir até uma zona neutra, de sombra, do palco, onde me sentei numa poltrona e procurava tornar-me invisível, para técnicos, câmaras, iluminadores, assistentes etc. Do outro lado da cortina, o conjunto musical tocava, para entreter o público, aquela conhecida valsinha: "Rio de Janeiro, gosto de você. Gosto de quem gosta, desse céu, desse mar, dessa gente feliz...". Mas, pelo murmúrio do público, dava para perceber que este não prestava muita atenção nos músicos.

Não demorou mais do que uns vinte minutos para que o trio Renato, Guilherme, Edwina reaparecesse. A primeira coisa que reparei foi que Renato me deu uma encarada rápida, que não me pareceu amistosa. Mas ele estava preocupado mesmo era em ajeitar o traje de Edwina, alisando-o aqui e ali.

Edwina vinha toda transformada. Onde antes houvera o generoso decote, agora havia uma gola rulê, que era parte de uma blusa negra, de mangas compridas, sobre a qual Edwina pusera um vestido prateado, sem mangas. Em compensação, o que encompridara em cima, encurtara embaixo, incluindo um corte na saia, que mostrava, razoavelmente, uma das coxas da veterana apresentadora, que, com esperteza, usava meias compridas cor de carne. Mas, se dali onde eu estava, eram perceptíveis as meias, para quem estava na plateia, ou visse o show em vídeo pela TV, pareceria que Edwina tinha pernas no mínimo provocantes, realçadas pela iluminação.

De resto, a maquiagem, se antes já era carregada, agora era uma verdadeira pintura no rosto, multicor ao redor dos olhos e dos cílios postiços, ruge bem vermelho nas faces e batom dourado nos lábios. E o cabelo que antes — com certeza uma peruca — parecia um bolo de aniversário tingido de louro, agora era negro — com certeza outra peruca —, aparado, mas com uma franja na testa.

Edwina se fantasiara de cantora de cabaré, isso ficou bem claro quando se confirmou a canção que ela se prontificara a cantar, em substituição a Luísa Monteiro.

Aproveitando que Edwina foi dar, junto com o Renato, uns últimos retoques em sua roupa ali diante de um espelho, aproximei-me do Guilherme e disse:

— Guilherme, e o meu pagamento?

— Olha, Célio, a Edwina pegou o seu cheque e mandou avisar você para esperá-la no camarim, a fim de conversarem umas coisinhas. Não me disse o quê, mas talvez tenha algo a ver com aquela cena final. Aquilo pegou todo mundo de surpresa e uma decisão tem de ser tomada. Esse programa sempre se situou num determinado limite, que é não expor nudez ou sacanagem explícita, para não perder a audiência das famílias. A maior hipocrisia, penso eu — ele disse —, pois, no meu entender, o que as famílias querem é isso mesmo.

"Outra questão é aquela piadinha dos vikings, que vazou no som. O Renato pesquisou no seu smartphone e confirmou que os vikings, em suas incursões, estiveram de fato na Escócia. Os fabricantes não iam dar uma mancada dessas. Apagar isso será fácil, mas não sei se o Renato quer ferrar você. Da cena picante ele disse que gostou, então não sei."

Enquanto ia divagando, Guilherme foi me empurrando pelo mesmo corredor em que Edwina fora conduzida. Chegamos à porta e ele disse: "Edwina disse para você esperá-la aí". E ele me empurrou porta adentro, para aquilo que era de fato o camarim. O que não teria nada de mais, não percebesse eu, que sou meio claustrofóbico, que a chave fora girada na fechadura pelo lado de fora. Imediatamente comecei a bater na porta, o Guilherme a reabriu e disse, puto de verdade:

— Edwina vai cantar. Se você fizer barulho é que não recebe nada mesmo.

— Posso ao menos fumar um cigarro?

— Não, não pode, aqui no teatro é proibido.

Não tive outro remédio senão obedecer. Eu fora até ali por causa do dinheiro e ia recebê-lo, nem que fosse na Justiça.

Mas tão logo dei as costas para a porta, tive um sobressalto, pois senti que não estava sozinho no camarim. Mas demorei algumas elásticas frações de segundo para perceber que tinha como companhia uma boneca, deitada numa cama espaçosa, que Edwina devia usar para relaxar. Era uma boneca bem grande, tinha o tamanho real de uma menina de quatro, cinco anos, mas o que ela representava era uma moça, digamos dos anos 50, com vestido de baile. Aproximei-me dela a ponto de poder descrevê-la com fidelidade.

Usava um vestido cor-de-rosa, bem justo na parte superior e, abaixo, a cintura bem definida, para depois o vestido se abrir numa saia rodada, cobrindo suas pernas até a altura dos joelhos. Nos pés, sapatos pretos de salto alto. E, como verdadeiro requinte, aquela réplica humana fora adornada com uma gargantilha de pérolas, brincos e, como que casualmente jogados ao seu lado, uma bolsinha de mão e um par de luvas dessas que cobrem até quase os cotovelos, ambos os acessórios de um cinza azulado. No meio do anular da mão direita postada entre a barriga e o peito, uma aliança dourada.

Também a maquiagem fora pintada com extremo apuro, no ruge sem exageros; no batom, este sim vermelhíssimo, em lábios ligeiramente entreabertos. Os olhos, que eram de um azul absoluto, se prolongavam, como em Edwina, com uma pintura negra e prateada, enquanto eram louríssimos, solares e quase ofuscantes os seus cabelos, enrolados num coque.

Não era difícil concluir que aquela boneca tinha como modelo atrizes ou personagens do cinema norte-americano dos anos 50, em dia de festa, por exemplo universitária, o que me autorizava a penetrar nas fantasias de uma Edwina criança ou adolescente, que ela teria conservado.

Com o copo na mão, acabei por sentar-me ao lado da boneca, contendo meus gestos e minha respiração, como se temesse sobressaltar criatura tão frágil e perfeita. Aliás, a Edwina criança e adolescente estava presente num porta-retratos duplo sobre uma mesa. Numa das fotos ela era uma garotinha de cinco, seis anos, que posava junto com uma garota e um garoto um pouco mais velhos, que deviam ser seus irmãos. Noutro retrato, ela dançava, com um traje antigo de festa, com um rapaz pouco à vontade num terno. Pela aparência de Edwina, julguei que ela deveria ter seus quinze anos e aquilo bem podia ser um baile de debutantes, provavelmente em São Carlos, formatura de colégio ou algo semelhante. Também havia fotografias presas às paredes, de Edwina recebendo em seu programa personalidades do mundo artístico e até político, como Regina Duarte, Ronnie Von, José Sarney, Itamar Franco, Gretchen.

Mas a foto maior, colocada, isoladamente, na posição mais central da parede, exibia Edwina recebendo, das mãos do editor Alfredo Dorneles, o prêmio Jabuti.

Que me perdoem essa exaustiva enumeração e devo dizer que não foram apenas uma penteadeira, a boneca na cama, as fotos, que despertaram a minha curiosidade e até excitação, e sim o camarim inteiro, como se eu houvesse penetrado clandestinamente num boudoir e respirasse feminilidade em todos os seus recantos e móveis, como a penteadeira com todos os seus apetrechos de maquiagem e os vidrinhos com perfume que recendiam delicadamente por todo o ambiente. Ah, e o armário; um grande armário aberto com um monte de roupas femininas de vários modelos, que tinham servido ou ainda serviriam a espetáculos. Vá lá que a mulher que as usava ou usaria era Edwina — a própria roupa que ela estivera vestindo pouco antes fora jogada às pressas sobre uma cadeira —, mas eu sempre me deixara seduzir, desde garoto e adolescente, por roupas femininas dependuradas em armários e fora capaz de inventar mulheres dentro delas. E, naquele momento, tinha ainda na memória os seios de Edwina, estava impregnado do mundo dos espetáculos, do qual fizera parte havia pouco; estava impregnado também do Highlands Viking, que ainda bebericava, examinando o ambiente.

O mundo dos espetáculos. Era natural que houvesse um televisor ali, numa parede, do lado oposto ao da cama, mas ele, embora ligado, mostrava apenas os músicos tocando sucessos norte-americanos e brasileiros. Eu precisava urinar e fui. E, ao entrar num banheiro de bom tamanho, tive uma surpresa. Num verdadeiro luxo para um banheiro de camarim, havia uma banheira, cavada no chão, na qual Edwina devia relaxar antes ou depois dos espetáculos. Mas menciono essa banheira principalmente para contar que não pensei no corpo de Edwina refestelado nela, mas somente nos seios à tona d'água, enquanto todo o resto, inclusive o rosto, permanecia imerso em espuma. Ri alto, satisfeito, porque acabara de criar uma imagem totalmente surrealista. Mais ainda, todo aquele programa, incluindo minha participação nele e a de Solange e Carlos Martínez, era surreal, e bastava isso para convencer-me de que eu passara e ainda passava por uma experiência estética alucinante.

Fui arrancado de meus devaneios por um sobressalto, provocado pelo prefixo musical do programa, que se fez ouvir ali no banheiro. E entendi que essa nova manifestação da realidade chegava, mais nitidamente, pelo televisor instalado no camarim. Voltei para lá o mais depressa possível e, para surpresa minha, eram a imagem e a voz do Guilherme que se faziam presentes no vídeo. Com um copo na mão, ele dizia:

— Como vocês podem perceber, estou bebendo, mas do excelente uísque Highlands Viking. Para quem não sabe, Highlands são terras montanhosas ao norte da Escócia. E os vikings, em suas incursões guerreiras, estiveram lá, sim, e a dúvida lançada pelo nosso entrevistado Célio Andrade foi apenas uma brincadeira. E continuo firme em meu trabalho, cuidando da diversão de vocês e dos telespectadores em casa.

"Acho que vocês não devem sair daqui sem uma explicação e uma compensação pela ausência, até este momento, de Luísa Monteiro. Como Edwina já contou a vocês, a cantora, por um pequeno lapso, tomou de volta o avião do Rio para São Paulo, pensando que fazia o percurso inverso."

O público tornou a rir daquele mesmo fato e Guilherme seguiu em sua explicação:

— Mas algo é certo. Chegando ao Aeroporto de Congonhas, Luísa encontrou-se com sua empresária Marta Torres e ambas decidiram que a cantora devia voltar ao Rio, o que não deixa de absolver Luísa, que, dessa vez, decidiu aceitar a companhia da empresária.

"E tanto Luísa estava com vontade de cantar que, conforme Marta Torres nos contou pelo celular, a artista cantarolou a bordo, numa voz audível, a canção francesa 'Que reste-t-il de nos amours?', música que pretende ou pretendia cantar aqui no programa. E mesmo dentro de uma aeronave houve quem aplaudisse."

Aplausos desconfiados e sorrisos no meio do público.

— Mas quando chegou ao Rio, sendo recebida por nossa assistente Ciça Carvalho, foi acometida de ligeiro mal-estar, aliás sonolência, talvez por causa dos remédios que andou tomando em sua escalada para a recuperação. Ou talvez ela tenha tomado uma dose extra, ansiosa por sua volta ao mundo dos espetáculos. E eles fizeram efeito na hora errada e Luísa teve de ser medicada no serviço médico do Santos Dumont. Mas, segundo Ciça, ela já está melhor e talvez ainda compareça ao teatro, pois já está mais desperta e com firmes intenções de vir aqui e cantar, entre outras, a canção francesa, um dos seus maiores sucessos.

"Mas vocês só sairão daqui sem essa canção se quiserem. Pois, dependendo da vontade do nosso querido público, Edwina poderá cantar essa pérola do cancioneiro francês, que também faz parte do seu repertório, enriquecendo com um toque de romantismo e poesia esta noite que, apesar de alguns contratempos, tenho certeza de que está conseguindo entretê-los. Querem ou não querem?", Guilherme elevou a voz. E, dos quatro cantos do auditório, ouviram-se gritos de "queremos, queremos", logo seguidos pelo refrão com que se costumava saudar a apresentadora, desde os seus áureos tempos na TV aberta:

— É divina, é divina, é divina!

Foi no meio dessa acolhida apoteótica que Edwina, sorrindo largamente, voltou ao palco, vestida como já descrito. Tão logo houve um pouco de silêncio, ela disse:

— Sei que jamais poderei substituir a nossa grande, porém irrequieta, Luísa Monteiro. Entendam, também, que não ensaiei nada, mas vou cantar em seu lugar o clássico da música francesa já citado pelo Guilherme: "Que reste-t-il de nos amours?", de Charles Trenet e Léo Chauliac. E de uma coisa podem ter certeza: os versos que sairão da minha boca virão do fundo do coração. — Dito isso, Edwina fez um sinal para o conjunto no pequeno fosso do lado direito do palco, composto de piano, contrabaixo e bateria e, acompanhada em surdina por este, que, por sorte, já a acompanhara na mesma canção, pôs-se a cantar:

Que reste-t-il de nos amours?
Que reste-t-il de ces beaux jours?
Une photo, vieille photo
De ma jeunesse.
Que reste-t-il des billets doux?
Des mois d'avril, des rendez-vous
Un souvenir qui me poursuit
Sans cesse.

Bonheur fané, cheveux au vent
Baisers volés, rêves mouvants
Que reste-t-il de tout cela?
Dites-le-moi
Un petit village, un vieux clocher
Un paysage si bien caché
Et dans un nuage le cher visage
De mon passé.

Esta sempre fora uma de minhas canções favoritas, seja na antiga interpretação do falecido Charles Trenet, seja na mais recente e magistral interpretação de João Gilberto. E eu podia imaginar que se Luísa Monteiro viesse a cantar a música, como avisara o Guilherme, o faria lindamente, com sua voz suave.

"Que reste-t-il de nos amours?" era uma canção delicada, elegante, com seu romantismo cool, a pedir sempre um intérprete de apurada sensibilidade. E é quase desnecessário dizer que a voz grandiloquente de Edwina, mais para Edith Piaf, não era adequada a essa canção. Quanto ao pequeno grupo musical que a acompanhava, tocando discretamente, não poderia ser responsabilizado pelo que quer que fosse.

Mas não nos esqueçamos de que o público que ali estava, convidado ou não, era de fãs ardorosos do programa e de sua apresentadora. E quando Edwina, com seu francês capenga, chegou ao fim da canção, o público, comovido de verdade, a aplaudiu de pé e demoradamente e ela teve de bisar a música. E Edwina, sempre repetindo a palavra "obrigada", lançando beijos para a plateia, fazia mesuras apropriadas para um final de show e apontava para o grupo musical, dividindo os louros com ele.

Por duas vezes, Edwina saiu para as coxias, mas teve de voltar ao palco diante dos aplausos, gritos e assovios insistentes. Mas era evidente que o show acabava no momento certo e Edwina se desincumbira dele a contento, apesar dos percalços. E qualquer coisa que fosse acrescentada a ele, poderia diluí-lo, talvez pondo em risco o já conquistado.

Eu estava ali recostado na cabeceira da cama, vendo tudo na tela da TV, ao lado da boneca e pensando: "Ela conseguiu, ela conseguiu".

Só que aconteceu o inesperado e imponderável. Quando Edwina voltou à cena uma terceira vez, possivelmente para cantar de novo, eis que surgiu do outro lado das coxias, toda vestida de branco, visivelmente cuidando de dar passos equilibrados mas sem perder sua elegância e leveza, ninguém menos que Luísa Monteiro.

Era quase como uma aparição, mas em sua cabeça devia estar se passando mais ou menos isto: tenho um compromisso aqui e vou cumpri-lo. Com presença de espírito, Edwina aproximou-se dela para beijá-la no rosto. Luísa não fez nenhum gesto de reciprocidade. Apenas deixou-se beijar, como um autômato. Estava sem nenhuma pintura, o que acabava por realçar sua beleza sem artifícios, contrastando com Edwina, maquiada em excesso. Mas a cantora não se negou a trocar, em voz baixa, umas poucas palavras com a apresentadora, que depois se dirigiu ao público:

— Luísa Monteiro ia iniciar sua apresentação com um dos seus sucessos, "Que reste-t-il de nos amours?". Mas como eu própria já cantei agora essa canção, Luísa resolveu apresentar para vocês, em primeiro lugar, uma canção de sua autoria, que eu nem mesmo conheço: "Anjo". Com vocês, Luísa Monteiro.

O público aplaudiu a cantora, enquanto Ciça Carvalho prendia em sua gola um desses microfonezinhos, similar ao que eu usara e também usava Edwina Sampaio.

Edwina saiu do palco pela esquerda, juntamente com Ciça, enquanto Luísa, de pé, próxima ao sofá, anunciou com uma voz bastante firme: "Anjo". E fez sinal ao pequeno grupo de músicos para que não a acompanhasse.

Não era uma canção muito popular, pouca gente ali, ou ninguém, devia conhecê-la, até porque Luísa era uma artista de público restrito, sofisticada. E para mim era claro que o gancho para Luísa comparecer a um talk show como o de Edwina era o fato de ela vir de uma recuperação de um vício de drogas e álcool, que terminou com uma overdose de heroína — para muitos uma tentativa de suicídio — e um longo internamento do qual saíra, ao que se dizia, recuperada. Esse era o gancho. E fizeram a empresária Marta Torres assinar aquele compromisso de que a artista se apresentaria sóbria no programa.

Quanto a mim, conhecia a canção, de seu último CD, pois era admirador da cantora e me identificava bastante com essa composição que, a cappella, com uma voz sussurrante, Luísa começou a entoar, baixo, soltando as frases, ou mesmo as palavras, espaçadamente, como se a canção fosse composta de fragmentos dispersos.

Sou anjo
Noturno
Sombra perdida
Pairando... nas trevas
Sobre os quartos
Iluminados por uma lua
Pálida
E surjo no meio dos sonhos
Que eu sonho junto
Com vocês.
Sou matéria imaterial
E real
E beijo seus lábios
E queremos nunca mais despertar
Sou brisa

Soprando,
Levando as folhas
Secas
Mexendo as árvores
Nessas noites de amor... te.

Luísa ia repetindo as frases, palavras, em diferentes ordens, mas sua voz era cada vez mais fraca, ia sumindo e havia intervalos de puro silêncio. O público também ouvia em silêncio, perplexo, observando a cantora que, dando passos para trás, deixou suas pernas esbarrarem no sofá e, por fim, sentou-se, as palavras tornando-se sussurros: "noites", "brisa", "trevas", "amor", "te".

E então Luísa já cerrara havia algum tempo seus olhos e sua voz cessou de todo. E ela recostou-se numa almofada num dos cantos do sofá e logo ficou claro que dormia. E alguém, talvez Guilherme, talvez Renato, talvez Edwina, fechou as cortinas. Uma parte do público murmurava, outra parte ria e houve até quem aplaudisse. E num momento em que na tela apareceu esse público, observei que Solange e Carlos Martínez guardavam um silêncio respeitoso.

Mais uns dez minutos e ouviram-se apupos e ficou visível que muitos deixavam a sala de espetáculos, enquanto alguns ainda aguardavam pacientemente, esperando que o conjunto, mesmo encoberto pelas cortinas, recomeçasse a tocar, ou que Edwina reaparecesse, com ou sem cortinas, para cantar ou dar explicações.

Mas o que aconteceu é que as luzes do teatro piscaram, duas, três vezes, enquanto as do palco permaneciam apagadas, num sinal indiscutível de que o espetáculo terminara. E o público de fato pôs-se a debandar, entre alguns apupos, e ninguém se preocupando em falar baixo.

Como era natural que num teatro-estúdio houvesse câmaras espalhadas por todos os lados e ninguém se lembrara de desligar a câmara que, atrás das cortinas, focalizava Luísa Monteiro dormindo no sofá, em meio à parca iluminação porém visível por causa da luz da própria câmara, pude ver que Marta Torres e Ciça Carvalho sacudiam levemente Luísa. Enquanto isso, Edwina Sampaio andava de um lado para outro, dando baforadas fortes num cigarro (quer dizer que *ela* podia), denotando agressividade.

Por fim, Luísa acordou. Erguendo a parte superior do corpo, com os olhos arregalados, atônita, perguntou à sua empresária:

— Já terminei, Marta?

— Terminou, sim, querida.

— Como é que eu me saí?

— Muito bem — respondeu diplomaticamente Marta.

Dali do camarim, eu disse, mas sem que tivesse um microfone para poder ser ouvido:

— Você esteve ótima, Luísa.

Na verdade, a apresentação de Luísa me emocionara, com aquele seu ar ausente, seu modo quase falado de cantar. Puxava por um lado meu sombrio, melancólico, e que, no entanto, me permitia uma fruição estética. E me comovia a fragilidade de Luísa. Não estou exagerando se disser que a estava amando naquele momento.

Durante a canção, eu fora transferindo, quase inconscientemente, para a boneca, o meu carinho por Luísa. Passando o braço esquerdo em torno dos seus ombros, terminei por enfiar a mão dentro de sua blusa e acariciei seus pequenos seios, que tinham sido criados de um modo encantador, sem o apelo a um sutiã. E também afaguei suas pernas, estas sim, cobertas por meias de náilon. A curiosidade me levou a levantar sua saia, esperando encontrar uma calcinha, mas nada. Inclusive, como todas as bonecas, não tinha sexo, embora a junção de suas coxas fosse bastante graciosa.

Depois, voltei a passar meu braço em torno dos seus ombros, seu peito, e pude ver, na tela, que Luísa levantara-se, dando o braço a Marta, e foram as duas caminhando por um corredor que ia dar numa porta, que Marta abriu e imaginei que devia ser a saída para o saguão do teatro, e dali para a rua. Não sabia como iam tratar a questão do cachê de Luísa Monteiro — que aliás iria para os Alcoólicos Anônimos — e eu achava que ela merecia uma boa remuneração, por sua atuação sensível e mais que original. Mas já me bastava a questão do meu próprio cachê.

Foi quando ouvi a chave girar na fechadura. E antes que pudesse me aprumar de verdade, entrou pela porta, esbaforida, para não dizer furiosa, Edwina Sampaio. Com toda a certeza, não se conformava com a atuação de Luísa. Com outro cigarro na mão direita, bradou para mim:

— O que você pensa que está fazendo com Marie Ange, seu pervertido?

— Nada, Edwina, nada — falei, muito intimidado, e tentando ajeitar a roupa de Marie Ange, que, devo confessar, estava bastante amarfanhada. — Como você mesma mandou, estou aqui para receber meu pagamento. E achei sua boneca um mimo. Mas estava aqui pensando em Luísa Monteiro, enquanto a acarinhava.

Foi isso que enfureceu ainda mais Edwina. Ela enfiou a mão dentro de sua gola rulê e dali tirou um cheque. Avancei em direção a ela, mas, antes que pudesse alcançá-la e ao cheque, ela jogou o cigarro no chão e o pisoteou, como se sapateasse. E rasgou o cheque em pedacinhos, que jogou para o alto.

Não vou entrar em pormenores jurídicos e contratuais, porque tornaria esta escrita tediosa para o leitor. Além do mais, um advogado amigo meu conseguiu brincando que eu recebesse o meu cachê, pois ficou claro que eu cumprira a minha parte do contrato. A prova era o próprio vídeo do show, que se chamava simplesmente Edwina. E fui ao ar com as outras atrações. Na verdade, fizemos um excelente show. Recebi meus dois mil e quinhentos reais, acrescidos de juros irrelevantes, e a produção do programa ainda teve de arcar com as custas processuais.

Os argumentos da apresentadora de que eu cometera um atentado ao pudor, ao expor e beijar o seio de Edwina diante do público e da câmara, caíram por terra pela repetição em vídeo, por duas vezes na TV, daquela cena para o público. O sorriso de Mona Lisa da apresentadora deixava claro que ela até se deleitara com aquele ato.

Fora isso, também já não vivemos os negros tempos da censura. O programa de Edwina era um programa ousado — basta nos reportarmos à aparição de Solange e Carlos Martínez — e tirava daí grande parte de sua audiência. E não chegara Renato a dizer, embora em circuito fechado, que Edwina esteve magnífica? Quanto à anuência dos patrocinadores — o Highlands Viking e uma cadeia de lojas dessas que vendem um pouco de tudo —, pôde ser medida pelo silêncio satisfeito deles.

O que cortaram foi a aparição de Luísa Monteiro dormindo, mas não a sua belíssima — pelo menos para uns poucos — interpretação de "Anjo". Mas Luísa não deixou de ser traída na edição do programa para a TV, passando, com os ajustes necessários, de última para penúltima atração do show, que passou a terminar com a apoteótica interpretação, com os bis e tudo, de Edwina cantando "Que reste-t-il de nos amours?".

Onde Edwina quis me pegar pesado — e aí foi uma ação em que nenhum patrocinador poderia se meter — foi no suposto abuso sexual contra Marie Ange, e houve quem falasse em pedofilia, por Marie Ange ser uma boneca. Mas nem a representação literal de uma criança ela era, pois Marie Ange era uma moça noiva, como comprovava a aliança dourada em seu anular direito.

Fiquei bastante surpreso, porque Edwina só me pegara arrumando o vestido da boneca. Nesse ponto fui ingênuo, porque não pensei que era natural que num teatro-estúdio houvesse câmaras até nos camarins. E tudo fora filmado, segundo a apresentadora. Mas admitiria Edwina ser filmada quando trocava de roupa? Era óbvio que não e Edwina estava blefando, mas eu caí como um patinho, confessando ao delegado da Infância e Juventude, que fora acionado, que apenas fizera carinho na boneca. E o próprio delegado — em que pese o afeto maternal de Edwina, que não tivera filhos, por Marie Ange — não apenas riu, como me esclareceu que não há como falar em abuso sexual com uma boneca, ainda mais em caráter privado, pois eu não sabia que havia câmaras no camarim.

Mas o meu melhor argumento, para os jornalistas que me azucrinavam, não pude usar: que Marie Ange representava para mim Luísa Monteiro. Quanto a isso, no calor da coisa, fiquei em silêncio: não queria acrescentar outro escândalo à vida já tão atormentada da cantora.

Se algum prejudicado poderia haver seria eu, diante de alguns noticiários veiculados na imprensa mais abjeta. Um jornal chegou a colocar em primeira página: "Escritor pratica atos libidinosos com boneca de Edwina Sampaio".

Mas, pensando bem, não sofri nenhum dano real com o pseudoescândalo. Apesar de um certo embaraço com minha súbita notoriedade, eu, que passara por uma fase de ostracismo, atraí uma faixa de público bem maior, tanto é que vocês estão agora me lendo. E também o programa de Edwina ganhou mais publicidade, se é que ela precisava disso. Ela chegou a aparecer com Marie Ange no seu sofá. E teve propostas para voltar à TV aberta, mas isso não era vantajoso para ela, que perderia muito de sua liberdade.

No mais, eu não estaria aqui me abrindo em relação a Luísa Monteiro, não houvesse ela falecido. Overdose de heroína. Suicídio? Nunca se saberá ao certo. De todo modo, não posso mais nem pretendo prejudicá-la, pelo contrário. Este texto é uma homenagem a ela como artista e como mulher, que busco imortalizar em sua beleza artística e pessoal, aos trinta anos de idade. Em minha cabeça roda, como num videoclipe, sua interpretação de "Anjo". E que esta escrita seja como um buquê de flores depositado à beira de sua sepultura.

A mãe

Não conheci outra pessoa que fosse tão religiosa como Maria, minha mãe. Em sua idade madura, ia à missa todos os dias, rezava terços e novenas também diariamente, rogava pela alma de seus antepassados, era particularmente devota da Virgem Maria. À medida que eu, no princípio da adolescência, me afastava cada vez mais da Igreja Católica, cujos dogmas e ritos não podia suportar, minha mãe me criticava veementemente por isso. Argumentando eu que sua crença inabalável vinha da educação familiar, disse-me ela que, pelo contrário, os homens de sua família eram até anticlericais. O que acontecera com ela é que fora tocada pela graça.

Sua fé numa vida futura, no céu dos católicos, para os que o mereciam, era absoluta. Isso me causava grande impressão e continuou a me causar, mesmo na vida adulta, e tornei-me um agnóstico, antes do que ateu. Mas ainda que admita, de maneira imprecisa, uma entidade que possa ser nomeada como Deus, não vejo por que a divindade deva ser confundida com o Deus da Bíblia e do cristianismo.

Minha mãe morreu no início da década de 90, aos oitenta e um anos de idade, depois de grandes sofrimentos, de doenças que a consumiram durante anos, com uma das pernas amputadas. Na sua mesa de cabeceira hospitalar, por ocasião da cirurgia de amputação, havia uma oração impressa, cujo conteúdo era a entrega de todo sofrimento a Deus.

Algum tempo antes, voltando de uma internação, depois de uma isquemia, costumava sentar-se silenciosa numa cadeira de braços estofada e reformada, onde haviam se sentado familiares seus já falecidos. Amara principalmente o pai, Waldemar, que ela dizia ser o melhor homem que já conhecera. Falava muito de sua época de moça, repetindo sempre suas histórias, como se tratasse ainda de um tempo recente. Visivelmente fora o melhor tempo de sua vida.

Durante o velório de seu corpo, meu pai, também um católico convicto e praticante, disse que minha mãe agora devia estar feliz, encontrando-se com as pessoas de quem mais gostara. E por mais ingênuo que eu possa parecer, às vezes fantasio um encontro meu num paraíso de almas, com todos aqueles que me foram ou são queridos. Então diremos uns aos outros, transbordando de felicidade: "Puxa, conseguimos chegar aqui".

Vida e morte são para mim um grande mistério, mas, diante desse paraíso reivindicado por minha mãe, de vez em quando a invoco, pedindo que me dê um sinal dessa suprarrealidade, nem que seja em sonhos. O sinal nunca se materializa, mas às vezes sonho que sou um jovem que está na casa dos pais e, quando acordo, sinto uma grande decepção por voltar à realidade. E os sonhos logo se desfazem na mente e só me recordo deles de forma muito imprecisa.

Mas, recentemente, tive um sonho que me ficou bastante nítido na memória. Nele, estou sentado numa sala caseira com o meu editor, tentando convencê-lo de que ele deveria reeditar logo um livro meu, pois isso seria muito importante para ambos. Sentada ao meu lado numa cadeira, está minha mãe, uma mulher que me parece jovem e bela, e repouso a cabeça em seu ombro, num momento de grande ternura entre nós. Mas logo depois, vindo de uma sala contígua, ouvimos o choro de uma criança que, quando a vemos, está sendo conduzida pela mão de uma empregada. E minha mãe logo se levanta, impaciente, para atender a essa criança, o que me deixa aborrecido e assim o sonho termina.

Esse sonho me veio numa época em que estava deprimido e, ao acordar, disse para mim mesmo: "Mãe, me proteja". Estava comovido e sentindo um grande amor por minha mãe do sonho.

Na vida real, nem sempre foram fáceis as minhas relações com ela, que podia ser ríspida e às vezes me batia com um chinelo, quando eu era garoto. Mas também podia ser muito carinhosa comigo.

Não foram poucas as vezes que, quando menino pequeno, levantando-me no meio da noite, fui deitar-me na cama de meus pais, estendendo-me ao lado de minha mãe, sentindo o seu calor e o seu cheiro bom. Não me lembro de ter sido repelido, mas depois de certo tempo era conduzido de volta à minha cama, já que acordava nela.

Lembro-me de outra vez em que olhei pelo buraco da fechadura do banheiro meu pai e minha mãe tomando banho de banheira juntos. Bati forte na porta ou chutei-a e, ao sair do banho, minha mãe me bateu com um chinelo.

Perguntei-lhe, noutro dia, quando tudo já estava serenado, por que eles tomavam banho juntos e ela me disse que marido e mulher queriam ficar sempre um com o outro. Tempos depois, quando eu já devia ter uns onze anos, com ideias muito confusas e incompletas sobre a sexualidade, e estava deitado à noite num sofá no corredor, pois meu irmão estava com a luz do nosso quarto acesa, percebi que meus pais mantinham uma relação sexual, ele a possuindo pelas costas. Fiquei fortemente chocado, ainda mais porque minha mãe, desde que me entendi por gente, repelia tudo o que se referia a sexo.

Mais tarde, quando eu já era adolescente, ouvia minha mãe dizer que uma mulher só mantinha relações com o marido para satisfazer os desejos dele. Então eu pensava que o sexo era desagradável para as mulheres e penso que isso foi razão para a minha timidez quando muito jovem, o que depois passou. Minha mãe chegava a dizer que se um homem tinha relações com uma mulher fora do casamento, era falta de caridade para com ela.

Criticava severamente qualquer mulher que tivesse um comportamento mais livre, não admitia em hipótese alguma que se falassem palavrões e éramos proibidos, eu e meu irmão, de andar com meninos que usavam esse tipo de linguagem, o que nos deixava bastante isolados. Sobre os homens que diziam esses palavrões perto de mulheres, falava que deviam levar bordoadas.

Quando fomos internados no Colégio São José, dos irmãos maristas — eu tinha apenas onze anos —, minha mãe advertiu-me de que eu não devia deixar nenhum menino deitar em minha cama, mas não explicou por quê. E foi nesse colégio mesmo que aprendi os primeiros segredos do sexo, ouvindo no recreio revelações, muitas vezes incompletas e fantasiosas, de outros meninos. Não me lembro exatamente quando, mas sei que já era bastante crescidinho quando soube como as crianças nasciam.

Uma das razões do nosso internamento num colégio localizado na mesma cidade em que morávamos, o Rio de Janeiro, foi que meu pai estudara num internato marista, em Uberaba, Minas Gerais. Só que, para ele, tal internamento fora necessário, porque meus avós paternos moravam em Catalão, Goiás, cidade muito atrasada. E meu avô economizara dinheiro durante anos para poder pagar os estudos decentes de seu único filho homem.

Fato marcante em minha vida, embora bastante nebuloso, foi quando, na quarta série primária, uma menina de seus dez anos me perguntou se eu sabia o que era foder. Já ouvira esse verbo antes, de um colega que se jactava de fazer isso com uma menina de seu prédio. Então disse à coleguinha que sabia. E ela falou toda sorridente: "Eu faço isso".

Meu irmão, um ano e meio mais velho do que eu, quando ainda não fôramos internados, me disse que eu era muito inocente. Eu quis saber por quê, e ele falou que no morro atrás do nosso colégio, o São Fernando, em Botafogo, havia uma casa onde os homens e as mulheres se encontravam. E que ele já vira um casal saindo de uma casa enrolado em toalhas. Ali era um rendez-vous. E disse ainda que naquela casa os homens e as mulheres se deitavam nus, eles enfiando os pintos nelas. Fiquei estarrecido, pois era o tempo em que eu nem sabia como as crianças nasciam.

Lembro-me de, eu ainda menino, sem nenhuma educação sexual, esfregar-me na cama vazia de meus pais, sentindo-me excitado, imaginando alguma mulher debaixo de mim (minha mãe?). O instinto desabrochava então por si.

O pai não era nenhum contrapeso à rigidez de minha mãe, pelo contrário. Lembro-me de que ele, eu e meu irmão, para irmos assistir a jogos no Maracanã, tínhamos de andar um bom percurso de nossa casa, na rua Cesário Alvim, em Botafogo, até a Lagoa Rodrigo de Freitas, a fim de pegarmos o lotação Lins-Lagoa, que nos deixava nos portões do estádio. E numa dessas ocasiões, não se importando com a dificuldade de pegar o coletivo fora do ponto final, porque passavam lotados, tocou o sinal de descida e fez com que saltássemos, pois uma turma de homens, na parte traseira do lotação, contava piadas sacanas entre gargalhadas.

Lembro-me também de meu pai enxotando um namorado

de minha irmã, Sônia, na varanda de casa, porque o casal estava se abraçando e beijando. Eu olhava tudo pelo buraco da fechadura, da sala de visitas para a varanda, e, logo depois, para não ser visto, subi correndo as escadas até o meu quarto.

Evidentemente que, por ser mulher, minha irmã — a mais velha dos três filhos — sofreu muito mais do que os irmãos a repressão sexual materna e paterna. E pode-se dizer que isso chegou ao ápice quando minha mãe descobriu que ela, já jovem de seus dezoito, vinte anos, estava usando biquíni na praia, como todas as mulheres começavam a usar. Então minha mãe simplesmente a deserdou. Da boca para fora, mas foi esse o verbo que usou: deserdar.

Voltando lá atrás, certa tarde vi em nossa rua um cão e uma cadela, depois de cruzarem, engatados um no outro. E os cachorros ganiam, tentando se libertar, enquanto alguns frequentadores do botequim da esquina faziam troça e riam alto. Contei o acontecimento à minha mãe e perguntei a ela, muito chocado, o que era aquilo. E sem me explicar direito o porquê do cruzamento animal, ela falou que o comportamento daqueles homens era vergonhoso.

Às vezes passávamos alguns dias de férias no Sítio Taquara, em Teresópolis, e minha mãe observava com um olhar bastante crítico o namoro dos jovens. Mas ficou verdadeiramente escandalizada e indignada quando viu a filha adolescente de um casal amigo deles, meus pais, se refugiar numa saleta, para receber beijos dos rapazinhos, que faziam uma pequena fila para beijá-la. E minha mãe disse que ficou orgulhosa de mim e de meu irmão, porque não participáramos de tanta pouca-vergonha. Mal sabia ela que eu não participara daquilo por timidez e medo de ser rejeitado. Algum tempo depois, a mesma menina fora fotografada numa boate de Copacabana, para uma reportagem sensacionalista da revista *O Cruzeiro*, sobre menores frequentando a madrugada. E minha mãe se mostrou novamente escandalizada e comentou "que vergonha aquilo tudo, principalmente para os pais".

Meu pai, quando eu já era adulto, me falou com desprezo sobre o comportamento em cena da cantora Madonna. E quando a filha de um ministro do governo militar posou nua para uma revista masculina, ele disse que o ministro devia renunciar.

Quando voltei a morar no Rio, vindo de Belo Horizonte, aos trinta e cinco anos de idade, fiquei uns três meses na casa de meus pais, antes de mudar-me definitivamente para um apartamento meu em Laranjeiras.

Eu pedira transferência no meu emprego e voltava por causa de uma grave crise pessoal, depois da separação de minha segunda mulher, por quem fora apaixonado, terminando a relação num processo de ódio e destruição mútua.

Conversando com minha mãe, disse-lhe que a paixão era uma coisa muito perigosa e ela concordou imediatamente, com ares de quem conhecia o assunto. Não entendi como ela podia ter esse conhecimento, sendo tão pudica e só admitindo relações entre homem e mulher dentro do casamento. Mas intuí que havia algo em sua juventude que eu ignorava.

Naquela época, 1977, mantinha ótimas relações com meu irmão e o visitava em seu apartamento, na Barra da Tijuca. Foi numa dessas idas à sua casa que se deu a surpreendente revelação.

Estávamos só eu e meu irmão numa sala quando ele me contou que nossa mãe havia tido um filho quando solteira e que esse filho fora criado no morro Dona Marta e lá tinha morrido antes de completar um ano de idade. E que minha mãe, quando conhecera meu pai, mantinha casos com outros homens. Fiquei perplexo e perguntei-lhe como ele sabia disso e ele respondeu que nosso tio Luiz havia lhe contado mas que ele guardara segredo por um bom tempo.

Eu queria saber mais detalhes, mas logo depois a mulher dele entrou na sala e meu irmão se calou. Apesar de inteiramente surpreso, não me passou pela cabeça condenar minha mãe, mas a revelação me fazia olhá-la de outros ângulos, sobre os quais eu devia meditar.

Tempos depois, tal revelação foi feita também à nossa irmã, que ficou revoltada por causa da mãe que, com aquele passado, a reprimira tanto em matéria de sexualidade e namoros. Depois sua revolta cedeu e passou ela a ser minha interlocutora nessas questões do passado de minha mãe. Sua informante, que preencheu lacunas — não todas —, era Marina, prima de mamãe.

Vou tentar descrever, com a objetividade possível, a história dramática que se segue.

Minha mãe, aos vinte e poucos anos, namorava um rapaz chamado Hélio, da sua turma de jovens que ganhara até um nome: Xis Mais Um. Aliás, minha mãe chegou a citar para nós, algumas vezes, um namoro que tivera com "um Hélio". Jogava ele num time de futebol da turma, quando sumiu num vestiário um relógio valioso. Minha irmã não sabe por quê, culparam o Hélio, que foi expulso do time e deixou de frequentar a turma. Minha mãe, porém, continuou a namorá-lo, escondido.

Foi desse Hélio que ficou grávida, aos vinte e quatro anos, coisa impensável na década de 30, em que as mulheres deviam ter um comportamento recatado e se casar virgens. Hélio não quis se casar com minha mãe, nem assumir a paternidade da criança que iria nascer. Também um aborto era impensável. Ao mesmo tempo, minha avó Dolores não aceitava em hipótese alguma uma filha mãe solteira.

Quando os sinais da gravidez iam ficar perceptíveis, minha mãe se recolheu ao sítio do doutor Leocádio Penna, médico e amigo da família, que depois fez o parto numa maternidade pública. Por coincidência, a filha desse médico veio morar na mesma rua que nós, em Botafogo. E minha mãe não deixava que brincássemos com o filho dela, José Carlos, e ficou claro, conforme disse recentemente minha irmã, que minha mãe temia a revelação sobre o seu filho, pois toda a família de Leocádio devia saber de sua história.

Quando a criança, do sexo masculino — nunca soubemos o seu nome —, nasceu, estando minha mãe sedada, a Bó, empregada e ama de todas as crianças da família, cumprindo ordem de minha avó retirou o bebê do berçário e levou-o para a *roda*, no Flamengo, um mecanismo onde os nenéns rejeitados eram colocados pelo lado de fora, tocava-se uma campainha e a *roda* girava e as freiras da Fundação Romão Duarte recolhiam a criança do outro lado. Ninguém era identificado.

Pode haver lacunas nesta história, mas o que sei, segundo minha irmã, é que, ao despertar, minha mãe ficou enlouquecida, gritava e rolava pelo chão, exigindo seu filho de volta. Acionado o Juizado de Menores, minha mãe conseguiu recuperar a criança, mas era impensável para minha avó que ela fosse criada em sua casa. Então foi entregue a Maria Inácia, irmã da Bó, que passou a cuidar do bebê no morro Dona Marta, em Botafogo, onde morava. Minha mãe ia lá diariamente para estar com o filho, dar-lhe mamadeira, até que o menino morreu, aos nove meses, de desidratação, para desespero de minha mãe, que carregou essa culpa para o resto da vida. Não sei quando se deu o recebimento da graça divina — e não estou fazendo troça —, mas deve ter sido algo como minha mãe perceber que podia ser perdoada e encontrar-se com o menino depois desta vida. Esse menino chegou a ser batizado, sempre conforme minha irmã, Sônia, na igreja de Nossa Senhora da Glória, no largo do Machado. Sônia disse ainda que a mãe de Hélio compareceu ao batizado. Mas não soube dizer o nome do menino.

Ficava também explicado por que minha mãe, já na idade madura, trabalhava, por caridade, numa creche do Dona Marta. Certa vez, já idosa, sentada comigo na copa do seu apartamento, começava a contar para mim o seu caso tão dramático, quando meu pai entrou no aposento e ela parou. Depois, nunca mais voltou ao assunto, talvez por falta de oportunidade.

No dia do enterro de minha mãe, no Cemitério São João Batista, quando estávamos meu pai e eu à janela da capela do velório, de onde se descortinava parte do cemitério, meu pai, sabendo que eu já sabia de tudo, me confidenciou: "Ali está enterrado o irmão de vocês, que vocês não chegaram a conhecer. Isso amargurou a vida de sua mãe". Perguntei-lhe se o pai dela tinha conhecimento daquela criança e ele me disse: "Não, se o doutor Waldemar estivesse vivo, não deixaria esse abandono acontecer".

É curioso pensar que, se o garoto houvesse sobrevivido e a história de minha mãe tivesse tomado outro rumo, eu não teria nascido.

Minha mãe visitava o cemitério, religiosamente, todo Dia de Finados. Minha irmã me contou que, quando menina, minha mãe a levava em sua companhia. E, além das flores no túmulo da família, depositava flores num pequeno túmulo à parte, desconversando quando Sônia queria saber de quem era. "Ah, é de um amigo do Carlos." Carlos era irmão de minha mãe. Depois ficou claro para Sônia que era a sepultura da criança que, como filho ilegítimo, não tivera nem direito ao túmulo familiar.

Não vou ter vergonha de confessar que às vezes invoco a alma desse irmão em minhas aflições, pedindo-lhe que olhe por mim. E quanto à minha mãe concordar que a paixão era muito perigosa, ficou evidente que ela se referia à paixão por Hélio, que a fizera perder a virgindade e engravidar.

Meu pai fora chefe de minha mãe na Delegacia do Imposto de Renda. Tiveram relações antes do casamento, que possivelmente nem teria acontecido, não houvesse minha mãe ficado grávida dele, aos vinte e cinco anos. Então meu pai se dispôs a casar com ela e por isso rompeu com a mulher que ele realmente amava. Chamava-se Jaci e morava em São Paulo, onde meu pai estudara direito. O rompimento se deu por carta, em que meu pai explicava seus motivos.

Casaram-se, pois, meu pai e minha mãe. Só que ela sofreu um aborto espontâneo e o casamento não teria sido necessário. Mas me lembro desde sempre que eles se gostavam. Ou pelo menos aprenderam a se gostar. Uma vez recuperada do aborto, minha mãe ficou grávida de minha irmã.

Quando moramos em Londres, em 1953, houve um tempo em que minha mãe surtou, para usar uma terminologia de agora. Não dirigia a palavra aos filhos, ou só respondia laconicamente, inclusive a meu pai. Lembro-me dela por um certo tempo com a cara bem fechada.

"Mamãe não gosta mais da gente", dissemos eu e meu irmão a nosso pai. Respondeu ele: "Gosta, sim, que bobagem", e explicou que ela estava com problemas, ou algo parecido. Depois sua depressão passou e pudemos viajar em paz e até alegres pela Europa, no fim da temporada na Inglaterra.

Minha irmã depois me contou, quando eu já estava com os meus catorze anos, que minha mãe havia ficado grávida e sofrera um aborto em Londres. Como nascera em março de 1910, estava com quarenta e três anos e tinha ficado perturbada, física e psiquicamente. E deviam ter voltado à sua mente todos os seus problemas passados.

Quanto à censura de minha mãe à sexualidade, o seu moralismo intransigente, ficou claro para Sônia que ela havia assumido a posição de seus algozes, pode-se dizer assim, dando-lhes razão por terem sido tão severos, até impiedosos, com ela.

Meu pai chorou muito e durante bastante tempo a morte

de minha mãe. O que não o impediu de, algum tempo depois, comunicar-se com sua amada de juventude, Jaci, já viúva em São Paulo. Chegou a lhe propor casamento, ambos já com setenta e alguns anos. Parece que ela o aceitou, mas tal casamento não se realizou, ignoro os motivos.

Por ocasião da morte de minha mãe, em 1991, lancei o livro *Breve história do espírito*. Quando fui levá-lo com uma dedicatória a meu pai, ainda fortemente abalado, ele me disse que escrevesse uma dedicatória também para minha mãe. E assim foi feito.

Aproveito este texto para dizer que também havia um lado mais sadio e enérgico de minha mãe. Dizia que, quando terminara seus estudos básicos, quisera estudar medicina. Mas fora dissuadida por minha avó, que considerava a medicina imprópria para moças. Com toda a certeza, porque teria de lidar com o conhecimento e a exposição dos corpos humanos. Minha avó Dolores era sete anos mais velha do que o meu avô Waldemar. Quando ele a pediu em casamento, ela disse que só aceitava se vivessem como irmãozinhos, com o que ele não concordou. E tiveram seis filhos.

Também meu pai era cinco anos mais moço que minha mãe, e minha primeira mulher quatro anos mais velha do que eu. Minha mãe não cursou nenhuma universidade. Mas, com os estudos no Colégio Rezende, conseguia falar razoavelmente inglês e francês e estava sempre lendo nessas línguas, além da portuguesa, é claro. Gostava de cinema (depois contava para nós os filmes que não eram impróprios), teatro e, particularmente, da língua francesa. Quando de uma estadia da família em Paris, meus pais frequentavam teatros e lembro-me bem de minha mãe comentando conosco, seus filhos, a peça *La Tête des autres*, de Marcel Aymé, levada pela Comédie-Française, companhia bem ao gosto tradicionalista deles. "Um promotor que comemora com a mulher e um amigo a morte de um criminoso na guilhotina, cuja acusação esteve a seu cargo."

Naquela época meu pai estudava em Londres, mas minha mãe adorava, sobretudo, Paris, cidade que esquadrinhávamos em todos os seus museus, monumentos e pontos históricos. Viajamos bastante durante o ano e pouco que passamos na Europa e posso dizer que, apesar da forte depressão atravessada por minha mãe ainda em Londres, foi uma época de maior descontração e alegria vivida pela família.

Na política brasileira minha mãe era partidária da conservadora UDN (União Democrática Nacional) e eleitora, ainda em nossa infância, do brigadeiro Eduardo Gomes, derrotado por Getúlio Vargas na eleição de 1950, o que a deixou inconformada. Tempos depois foi adepta fanática de outro político udenista, Carlos Lacerda, um dos principais líderes do golpe militar de 1964 e que aspirava ser presidente da República, o que nunca conseguiu.

Sendo Carlos Lacerda opositor ferrenho do presidente Juscelino Kubitschek — contra quem Lacerda conspirou para que não tomasse posse —, a política pôs em campos opostos meu pai e minha mãe, pois meu pai veio a ser assessor de Kubitschek no Palácio do Catete. Sendo Juscelino um homem bastante informal, às vezes telefonava pessoalmente para meu pai em casa, mesmo nos fins de semana, e, se era minha mãe quem atendia à ligação, o fazia rispidamente.

A religiosidade em minha casa me deixou marcas profundas. E como gostaria de ter conversado mais com minha mãe sobre a sua concepção de paraíso. Sabia que ela esperava encontrar-se com seus familiares mortos, inclusive seu filho que morrera aos nove meses. Mas que lugar de bem-aventurança seria esse, em que as pessoas que tinham merecimento, ou morriam em estado de graça — e seu filho pequeno morrera já batizado —, ou ressuscitavam, conforme a doutrina da Igreja? E se elas ressuscitavam, deveriam ter um corpo. Mas que idade e aparência esses corpos teriam?

Dei uma olhada num resumo do *Paraíso*, da *Divina comédia* de Dante Alighieri, e apesar de esse paraíso corresponder, em suas nove esferas, a concepções geocêntricas do universo, há no livro, fora de qualquer dúvida, noções dos eleitos enquanto almas, apenas almas, o que me parece muito mais aceitável e perfeito.

Em algumas ocasiões, fantasio a mim mesmo, apesar de meus *pecados* e imperfeições, como uma alma unida a todas as outras ou a Deus, ou na contemplação Deste, num êxtase eterno. Mas não chego a ter fé, apenas um vislumbre dessa bem-aventurança. Na verdade, levando em conta os mistérios do ser e a grandeza quase inconcebível do universo, não descarto inteiramente essa possibilidade. Mas elimino, quase inconscientemente, o encontro com seres que não suportei ou suportaria aqui na terra.

Mas à admissão de um céu, ainda que improvável, corresponderia a admissão também improvável de um inferno, e a Igreja Católica sempre me provocou temor, apesar de o atual papa, Francisco, já ter desautorizado esta versão das chamas de um inferno. Meu pai me disse algumas vezes que o inferno seria a completa ausência de amor ou a impossibilidade da contemplação de Deus. Tentando penetrar neste último mistério, li o livro *Sobre o desprendimento*, do monge medieval e teólogo — e agora respeitadíssimo — Mestre Eckhart, mas confesso que não consegui compreendê-lo.

Em 2009, passei um mês de outono na cidade de Praga, República Tcheca, para escrever um livro que me foi encomendado. Esquadrinhando cada canto da cidade, fui parar no Museu da Tortura na Idade Média. Exibindo e explicando em minúcias os suplícios medievais, particularmente os utilizados na Santa Inquisição, a mostra me causou horror e não voltei lá uma segunda vez, mas fiquei com as marcas daquilo que era o inferno aqui na terra, sob a tirania e crueldade da Igreja Católica.

Ainda criança, no meu primeiro e segundo ano de colégio interno, distribuíam a nós, alunos, um livrinho chamado *Novíssimos*, tratando dos pecados, morte, merecimentos, céu, purgatório, inferno, este com gravuras mostrando criaturas em meio a sofrimentos terríveis, que me aterrorizavam e me marcaram para sempre, de modo que, por mais que a razão o negue, nunca consegui me libertar totalmente do medo de uma eternidade infernal.

Já bem adulto, li pequenas partes do *Inferno*, de Dante Alighieri. *Chamas, pestilência, mutilações, devoração contínua por feras, imersão no próprio vômito e fezes, esfolamentos, sangue borbulhante e fervente, a Hidra e a Medusa, confinamento em túmulos cheios de fogo, pernas assadas por velas, serpentes e outros répteis medonhos, mutilações, hidropisia, lepra, sede eterna, lágrimas congeladas sobre os olhos*. Enfim, todos os horrores eternos, pois os que ali entram, devem deixar para trás toda esperança.

Houve um tempo em que, acometido por uma insuportável depressão e desesperança, acalentava ideias de suicídio. Mas minha tortura psíquica se agravava ao admitir que o demônio podia estar me tentando para conquistar minha alma por toda a eternidade. Eu chegava a visualizar o diabo resfolegando ao meu lado, soprando em meu ouvido ou dentro de mim: "Vá lá e se mate". Foi de forma masoquista que li os trechos do *Inferno*, de Dante, cujas páginas larguei, assustado. Mas não sem antes ler que no inferno os suicidas brotam como sementes e crescem até se transformarem em espinhosos e escuros arbustos. As Harpias, seres da mitologia grega caracterizados por possuírem corpo, asas e garras de ave de rapina, nutrem-se permanentemente de seus galhos e assim trazem aos suicidas eterna e intensa dor.

Que sofisticação na descrição do sofrimento! Como se o sofrimento dos suicidas no mundo já não bastasse. De todo modo, nunca consegui libertar-me totalmente da ideia de um inferno, a um ponto tal que o pensamento ateu de um nada futuro me parece desejável. O doce nada, como se se pudesse qualificar o que nada é.

Certa vez sonhei que estava num cinema durante a projeção de um filme (não cheguei a saber que filme era), quando o demônio, horrendo, mais uma vez resfolegante, vindo por minhas costas, vem me acossar. Então me levanto e o enxoto, aos gritos, repetidas vezes, pois ele sempre ameaça voltar, até que por fim, vencido, desaparece.

Meu coração bateu forte quando li em *Meu último suspiro*, do grande cineasta Luis Buñuel, uma cena de um malsucedido filme baseado em *O Morro dos Ventos Uivantes*, de Emily Brontë, que é a seguinte (com a palavra, Buñuel):

> Numa cena do filme um velho lia para seu filho uma passagem que, para mim, é a mais bela da Bíblia, muito superior ao Cântico dos Cânticos. Encontra-se no Livro da Sapiência, ou da Sabedoria, livro que não figura em todas as edições, pelo contrário (2,1-7). O autor destas linhas admiráveis as coloca na boca dos ímpios. Senão seriam impronunciáveis. Basta colocar entre parênteses as primeiras palavras e ler:
>
> (Disseram pois os ímpios no desvario dos seus pensamentos:) O tempo de nossa vida é curto e cheio de tédio, e não há nenhum bem a esperar depois da morte, e também não se conhece ninguém que tenha voltado dos infernos.
>
> Pois do nada somos nascidos e depois desta vida seremos como se nunca tivéramos sido. Pois a respiração de nossos narizes não passa de fumaça; e a razão é como faísca para mover o nosso coração.

Apagada ela será e nosso corpo reduzido a cinza e o espírito se dissipará como um ar sutil.

E a nossa vida se desvanecerá como uma nuvem que passa e se dissipará como um nevoeiro que é afugentado pelos raios de sol e oprimido pelo seu calor.

E o nosso nome com o tempo ficará sepultado no esquecimento, e ninguém se lembrará de nossas obras.

Pois nossa vida é a passagem de uma sombra, e não há regresso depois da morte. Pois, lacrada, ninguém retorna dela.

Vinde portanto, e gozemos dos bens presentes, e apressemo-nos a usar das criaturas como na mocidade.

Enchamo-nos de vinho precioso e de perfume, e não deixemos passar a flor da primavera.

Coroemo-nos de rosas antes que murchem; não haja prado algum em que a nossa intemperança não se manifeste.

Nenhum de nós falte às nossas orgias. Deixemos em toda a parte sinais de alegria, porque esta é a parte que nos toca e esta é a nossa sorte.

Palavra alguma a modificar nessa remota profissão de ateísmo. Pensar-se-ia estar ouvindo a mais bela página do Divino Marquês.

Estranhamente, ou não, fui acometido de uma euforia ao ler essas linhas, embriagando-me do nada após a vida.

Mas e quando a vida é cortada na mocidade?

O nome dele era Carlos, irmão de minha mãe. Morreu em 1939, aos vinte e cinco anos e, portanto, não cheguei a conhecê-lo. E a crônica familiar contava que era um jovem amante de esportes, tocador de violão e cantor de modinhas. Goleiro do time amador do Fluminense, quando já havia profissionalismo nos clubes do Brasil, na escalação usava o apelido de Secura, por ser seco por esportes. Entre as suas idiossincrasias, estava a de criar uma cobra não venenosa, que às vezes ele tirava do bolso no bonde, assustando os outros passageiros.

Era acadêmico de medicina, recém-formado, quando a tuberculose o atacou. Foi internado num sanatório em Campos do Jordão, São Paulo, com o tratamento custeado por amigos da família, pois minha avó já havia ficado viúva, vivendo de uma modesta pensão. Os outros filhos já trabalhavam, mas ganhando pouco.

Carlos ficou no sanatório por dois anos e, retornando ao Rio, voltou a exercer a medicina e a praticar esportes, embora moderadamente. Porém, a tuberculose o atacou novamente, agravando-se depois de um acidente durante um procedimento com pneumotórax. A partir daí foi a derrocada e logo Carlos não pôde mais sair do leito. Sônia contou-me que minha mãe lhe disse que, em seu final, estava tão magro que a negra Bó tinha de colocar lençóis dobrados na banheira, para ele não machucar os ossos quando tomava banho. E acabou por morrer tão jovem, tornando-se um mito na família. Um mito por seus dotes musicais, seus retratos com uma cobra enrolada no braço, por sua profissão de médico e sua prática de vários esportes. Minha mãe contava que Carlos às vezes chegava em casa com a pele toda ralada, por causa de sua posição de goleiro no futebol, entrava debaixo do chuveiro e esfregava-se todo com iodo, para cicatrizar logo os machucados.

Na parede de minha sala há uma fotografia emoldurada do time amador do Fluminense, campeão de 1932 de uma segunda divisão, com Carlos com seu uniforme de goleiro, à frente de uma fileira diagonal de jogadores. Muitas vezes, durante minhas angústias vendo jogos do Fluminense pela TV, levanto os olhos para aquela fotografia e peço a Carlos que interceda pelo nosso time.

Pouco antes de morrer, embora fosse ateu, Carlos recebeu em sua cabeceira, apenas para não ser descortês, um padre que alguém mandou para administrar-lhe a extrema-unção.

Outra que se tornou mítica na família foi Carmem, a terceira a nascer entre os irmãos, em 1913, que morreu de peritonite, provocada por uma apendicite aguda. Minha avó e minha mãe diziam que ela era muito bondosa e morreu cantando, aos onze anos.

Entre as pessoas mais queridas de minha mãe e da família toda estava a cafuza Lindolfa, a Bó, que criara todos os filhos de minha avó Dolores, desde o nascimento deles, e os servia até saírem de casa, sempre segundo minha irmã, que se informara por minha mãe. Era filha de escravos, mas ninguém sabia ao certo sua idade ou sua origem. Fora para a casa de Maricota, mãe de minha avó, aos treze anos, segundo ela mesma. Devia ser, portanto, uns dezesseis anos mais velha que o primogênito da casa, Luiz, que nasceu em 1909. A Bó dormia sobre uma esteira num quartinho ao lado da cozinha. Trabalhava todos os dias da semana sem horários, esperava todos chegarem da rua para servir-lhes alguma coisa, antes de irem dormir. Era também quem ouvia todas as confidências e em quem os irmãos confiavam mais do que na mãe, conforme Sônia.

Quando os filhos de vovó nasciam (parto em casa) eram imediatamente entregues à Bó, que foi a verdadeira mãe deles, que dormia com eles, dava banho, cuidava da alimentação, tratava nas doenças, protegia aqueles que vovó perseguia. Tinha mais autoridade sobre eles que a mãe, que gritava, berrava, xingava mas não era respeitada, ainda segundo Sônia.

Em alguma gaveta ou armário no meu apartamento, está

uma foto da Bó, trajada de preto, com um vestido escuro comprido e de colarinho branco, de pé, com minha mãe nenenzinha no colo. A severidade dos seus trajes não esconde que era muito bonita.

A mentalidade era ainda escravista em muita coisa. Segundo minha irmã, minha avó chegou a viver a época da escravatura (a abolição só acontecera em 1888), havia ainda uma certa quantidade de escravos e a maioria dos serviçais era de filhos de escravos, ou até ex-escravos.

Uma lembrança bastante imprecisa em minha memória — a ponto de eu não ter certeza se o fato foi verdadeiro — é a de eu muito pequeno, levado por minha mãe a visitar a Bó, não sei em casa de quem mas era em Botafogo. Ela já estava bastante doente e visualizo uma ferida feia em sua perna, que me assustou bastante. E a Bó, me tratando com muito carinho — e isso minha mãe me contou —, previu para mim um futuro de rapaz bonito, com sucesso entre as mulheres. Em várias dificuldades em minha vida, invoquei a ajuda, meio mágica, meio religiosa, de meus antepassados. E é com grande emoção que invoco agora a Bó nesta escrita. Sinto-a como outra mãe a velar por mim do além, uma mãe bem mais carinhosa do que a minha própria. Minha mãe negra, recebida com grandes honras numa vida posterior à morte. E o que não pôde acontecer com o filho natural de minha mãe, aconteceu com a Bó. Foi enterrada no jazigo da família.

Naquele jazigo há um espaço reservado para mim, pois em sua escritura, um papel grande em frangalhos, em poder de minha irmã, está disposto que o túmulo se destina a Waldemar de Avellar Andrade, meu avô materno, e seus descendentes. É, pois, como uma reunião póstuma de família.

Espero que meus eventuais leitores não sejam por demais sugestionáveis, pois vou confessar que, às vezes, quando vejo o caixão de um ente querido, ou amigo, baixar à sepultura, sinto um calafrio por sua devoração pelos vermes e por sua terrível solidão, como se os mortos ainda pudessem sentir alguma coisa. Então me vem à cabeça que é mais piedosa e higiênica a cremação dos corpos, sua purificação no éter, uma sedutora dissolução, como no Livro da Sabedoria.

A rua e a casa

Desde muito pequeno, até onde a memória alcança, você morava naquela rua, a Cesário Alvim (no número 10), em Botafogo. A rua terminava no início do morro do Corcovado, que ia dar na estátua do Cristo Redentor. Você nascera em outubro de 1941, durante a Segunda Guerra Mundial, em que o Brasil entrou em 1942. E você tem lembranças vagas de quando a estátua foi reiluminada, depois de um longo período às escuras por causa de um blecaute por prevenções contra ataques, improváveis, de alemães à cidade. Então foi como um milagre que causou deslumbramento em todos na rua.

Dos carros movidos a gasogênio, um combustível queimado em complicados mecanismos que se acoplavam aos automóveis, para substituir a gasolina que não se conseguia importar por causa da prioridade de sua utilização na guerra, você se lembra bem, até porque continuaram a ser usados durante certo tempo depois do conflito. Desses motores assim adaptados saía uma fumaça escura poluindo o ar ao redor dos carros, apesar de não serem muitos os automóveis na rua, utilizando forçosamente esse recurso, menos os carros oficiais. Naquela época, o transporte público mais utilizado era o bonde elétrico. Quando a guerra na Europa acabou, houve festejos no bairro e o pessoal acendeu fogueiras com jornais, de comemoração.

Sentado ao portão de sua casa, num degrau de cimento, você corria apavorado para dentro quando passava o caminhão de lixo. Com certeza, embora você não se lembre disto, alguém deve ter lhe dito, de maldade, que os lixeiros levavam as crianças. Quando os mais velhos tentavam segurá-lo, para mostrar-lhe que não acontecia nada, você se debatia e seu coração parecia que ia pular pela boca.

Certa vez, os lixeiros entraram numa greve prolongada e, nas latas de lixo transbordando, passeavam vermes brancos repugnantes. Por sobre a rua, voando baixo, decolando ou pousando no Aeroporto Santos Dumont, passavam os bimotores DC-3 das várias linhas aéreas. E uma vez foram os aeronautas e aeroviários que entraram em greve, justamente quando vocês três, os dois irmãos e a irmã mais velha, à frente, tinham de viajar para Araguari, em Minas Gerais, devidamente autorizados pelo Juizado de Menores. De lá tinham de seguir numa jardineira para Catalão, em Goiás, para ficar com os avós paternos, porque seus pais iam viajar para a Europa. Por fim a greve terminou e vocês foram.

Você foi o último a entrar para o colégio, aos cinco anos. Antes disso ficava à tarde sozinho com sua mãe em casa, como se fosse filho único. Tinha muito apego a ela, mas também sentia uma vaga melancolia, pela falta dos irmãos. Uma vez sua mãe fez deitar na cama dela um menino da vizinhança, para pôr remédio em suas perebas nas pernas, e você sentiu-se ultrajado de tanto ciúme. Quando você começou a ir ao colégio, chorava demais e mijava nas calças, na escola.

Quando ainda isolado em casa, você fazia das suas. Numa delas tentou imitar seu pai fazendo a barba e cortou-se no lábio com a lâmina. Foi socorrido pela mãe, que deve ter ralhado com você, pois sentiu-se muito culpado. Noutra vez, mexendo no hidrante à porta da casa, a água começou a espirrar forte e o pai, que vinha do serviço para almoçar, foi fechar o registro e molhou-se todo, com a calça do terno, a camisa branca e a gravata.

O pai, como chefe de gabinete do ministro da Agricultura, era servido por um carro oficial. Você se lembra do motorista, Pelúcio, do ministério, que levava você e seu irmão para passear de carro até o fim da rua e voltar. Vocês brincavam muito com um menino preto e pobre, Estêvão, que às vezes ia com vocês e sentavam-se todos no banco da frente, para não sujar o banco traseiro, onde se instalava o seu pai.

Você e seu irmão estavam sempre descalços, em casa e até na rua, e brincavam muito de "bonde de arrastar no chão". Pegavam cada um uma tábua de assoalho que havia sobrado de alguma obra na casa — era uma casa modesta, mas de dois andares como era comum na rua e na cidade — e a iam arrastando pelo chão, pegando e largando pedrinhas nos pontos de passageiros. As pedrinhas que você pegava eram os passageiros, que o seu irmão largava, e depois as soltava novamente para ele pegar. E vice-versa. Os "bondes" cumpriam os itinerários dentro da casa, imitando os itinerários dos bondes de verdade. A rua São Clemente, a Voluntários da Pátria, a praia de Botafogo, o Jockey, Laranjeiras, a Gávea etc., e o bonde Circular, fazendo o circuito entre Botafogo, Ipanema, Copacabana e de novo Botafogo. E havia o Tabuleiro da Baiana, que era o ponto final dos bondes no centro da cidade.

Em sua parte de baixo, a rua Cesário Alvim fazia esquina com a São Clemente, que às vezes tinha mão única em direção ao Humaitá. Quando sua mãe ia fazer compras no centro e custava a chegar, você ficava esperando-a sentado no degrau do portão da casa e, quanto mais ela demorava, mais o seu coração batia de medo de ter acontecido alguma coisa e ela nunca mais voltar. Até que ela despontava na esquina, descendo de um bonde ou de um ônibus, e você corria para abraçá-la bem apertado.

Ah, a rua Cesário Alvim. Os crepúsculos róseos, o aroma dos jasmineiros, o cantar das cigarras, o jogo da amarelinha, as cantigas e brincadeiras de roda, os belos lampiões da Light. Às dezoito horas em ponto o som da Ave-Maria nos rádios das casas e depois o sermão radiofônico de Julio Louzada.

Os tempos se misturando em sua cabeça e você se lembra de dona Lurdes, que da janela de seu apartamento na rua Davi Campista conversava com vocês, meninos, no quintal de casa, que a mãe mandara cimentar. Um dia vocês souberam que Eurico, o filho de dona Lurdes, se suicidara, e aquela janela nunca mais se abriu. E foi só então que souberam o que era suicídio. A morte entrava aos poucos na cabeça de vocês, crianças, e havia também a vizinha da casa de cima, a número 12, que morria de câncer e às vezes, nas noites, se ouviam os gritos e gemidos dela. E o seu coração ficava confrangido.

Houve também o atropelamento do Raulzinho, filho de seu Raul, viúvo, morando os dois numa casa no alto da rua. O carro praticamente não o atingiu, mas os pneus rangeram forte no asfalto e Raulzinho caiu, várias pessoas da rua entrando na casa de seu Raul para ver como o menino estava, e ele passava bem, mas tremia muito.

Com o suicídio de Eurico, o atropelamento de Raulzinho, o cantar das cigarras e da Ave-Maria, as cantigas de roda etc., você, muitos anos depois, escreveu A *tragédia brasileira*, romance-teatro, com o atropelamento da menina Jacira, de doze anos, em quem o carro mal toca, mas ela morre e, a partir de um suposto milagre em seu velório, é beatificada na imaginação popular como santinha milagreira. E há na peça o suicídio de um jovem poeta, Roberto, que olhava por uma fresta de janela a menina pulando corda no instante do atropelamento.

Na casa da vizinha de baixo, a número 8, moravam as meninas Isabel e Cirene, esta a garota mais bonita da rua, com seus olhos verdes. Os pais eram desquitados e isso se comentava com voz baixa, porque era um estigma na época.

Era comum que as torneiras secassem no bairro e as pessoas, com latas, iam buscar água que jorrava de um poço na garagem dos bondes da Light, ali perto. Você mesmo ajudava nesse serviço. Para aproveitar o líquido escasso, houve duas ou três vezes em que as empregadas da vizinha, aquecendo a água no fogão, encheram a banheira da casa deles e você tomou banho com a menina mais nova, Isabel. Depois, talvez porque a sua curiosidade o tenha levado a alguma inconveniência, os banhos em comum cessaram de todo e você se lembra de que sentiu falta.

Em sua casa havia uma arrumadeira — a classe média se dava ao luxo de empregar uma cozinheira e uma arrumadeira — que às vezes lhe dava banho, você naturalmente ainda pequeno queria tocar nos peitos dela e pedia-lhe que deixasse, mas ela afastava a sua mão e ralhava com você. Você não chegou a receber nenhuma educação sexual em casa, mas se lembra de espiar, pelo buraco da fechadura, a mãe ou a irmã trocando de roupa. E de você, se vendo sozinho no quarto dos pais, se esfregando na cama deles e sentindo prazer com isso.

Numa casa do outro lado da rua morava um casal de judeus, com suas filhas Yvette e Jacqueline. E a garotada, as meninas, principalmente, organizaram uma "cruzada" para converter as duas ao catolicismo. Cada criança tinha um cartão quadriculado em que marcava as orações feitas e as boas ações praticadas, conquistando pontos em intenção da conversão das meninas judias, que não sabiam de nada.

Quando chovia muito a rua se inundava e quem fosse pego desprevenido andava com água até a cintura, mas para as crianças era uma festa. Outra coisa digna de nota eram os gatos, quase sempre pretos, que perambulavam pela área, correndo na rua e subindo nos muros das casas. E às vezes esses gatos gemiam pungentemente e você se perguntava o que era aquilo e só tempos depois soube que os gatos emitiam esses miados lúgubres no momento da cópula. E havia quem jogasse, da janela, água fervente sobre eles, que passavam a exibir as chagas, mais ariscos do que nunca. De vez em quando um de vocês, as crianças da família, trazia um gato ainda filhote para dentro de casa e por força queria criá-lo, servindo-lhe leite em pires, até que o gato desaparecia — e só quando você já não era mais criancinha é que entendeu que seus pais davam um jeito de sumir com os bichos.

Mas a boa índole das crianças era um sentimento muito instável e você se lembra de seu irmão, junto com você, atirando um gato ainda filhote de um barranco no alto da rua, e lá embaixo o bicho começou a arrastar seu corpo todo desconjuntado. Logo depois você já estava arrependido e carregou essa culpa pelos tempos afora.

Na esquina com a rua São Clemente havia o Bar e Café Ouro, de propriedade de um português, seu José. Havia mesas com tampo de mármore e uma escarradeira e era o ponto onde o pessoal, trabalhadores e malandros, parava para tomar uma pinga de um só gole, ou uma cerveja, acompanhada de sardinhas fritas. Também nesse botequim e em suas cercanias circulavam os bicheiros sob o comando de um cara chamado Benjamim.

As apostas eram feitas ali mesmo, na esquina, e os resultados, com os números sorteados, eram colados num poste. O seu tio Luiz, quando esteve separado da mulher e morando por uns tempos na casa de vocês, jogava numa espécie de bolo de apostas, que também eram feitas para você e seu irmão.

Às vezes a polícia dava batidas e os apontadores, para destruir provas do jogo ilegal, eram obrigados a mastigar e engolir papeizinhos com as apostas. Quando não conseguiam, eram presos em flagrante. O jogo parava por uns dias, mas depois todos eram soltos e a jogatina voltava e todo mundo sabia que os policiais, até mesmo os delegados, haviam sido subornados.

Você se lembra do Zé Bicheiro, um gordinho de bigode, que andava calçado de alpercatas, com a camisa para fora da calça, sendo revistado de cima a baixo do corpo, por um policial uniformizado. Você ficou muito impressionado com aquilo, pois conhecia de vista — às vezes até de conversa — o pessoal do jogo do bicho.

Quando você e sua família sofreram um acidente grave de automóvel, vindos de Itatiaia pela antiga Rio-São Paulo, todo mundo na rua ficou sabendo e, quando seu pai chegou em casa com o braço engessado, alguns da turma do botequim foram até a porta da casa de vocês, querendo saber como o seu pai, o "doutor", estava passando, entre eles o Zé Bicheiro. E então era uma sensação estranha vê-lo empurrado aos safanões para dentro do carro-patrulha.

Mas temida por todos mesmo era a Polícia Especial, com seus quepes vermelhos e a sua truculência e que às vezes ia até a rua, também para reprimir o jogo e com certeza levar "algum". A famigerada Polícia Especial que infligira torturas aos presos políticos durante a ditadura Vargas. E houve uma festa por seu aniversário que teve de ser cancelada por causa da queda do ditador e o medo de desordens na cidade. Depois houve o governo Dutra e, quatro anos depois, Getúlio Vargas foi eleito democraticamente, para raiva de sua mãe que apoiava o brigadeiro Eduardo Gomes, da UDN, um partido totalmente conservador.

Nos dias de Grande Prêmio Brasil, no Jockey, o presidente Vargas, dirigindo-se ao Hipódromo, passava em carro aberto, acenando para o povo na rua São Clemente, e dava para vê-lo com o seu guarda-costas Gregório Fortunato, vigilante no estribo do automóvel, ali na esquina da rua Cesário Alvim.

Já com seus onze anos, você jogava futebol na rua, com as balizas no espaço entre os postes e os muros de casas, os garotos todos ariscos, chutando e driblando no meio dos carros estacionados, ou mesmo os que vinham pelo asfalto. As bolas em geral eram de borracha.

Você se lembra também de apostar corridas com outros garotos, subindo a rua em aclive, lá no alto bem acentuado, depois fazendo a curva e descendo pela rua Davi Campista. Às vezes havia guerras de pedras, bastante arriscadas. E uma vez um menino chutou contra você uma lata aberta, que atingiu o seu supercílio, que sangrou bastante.

Também havia as brigas de verdade e você era meio medroso, mas uma vez encarou um menino pobre, o Zé Cearense, achando que ia levar vantagem, mas ele rodopiava rápido na sua frente, acertando sem parar tapas em sua cara, e você logo entregou os pontos e voltou chorando para casa. Então você pensou em ir à forra no Cássio, irmão do Zé Cearense mas fracote, e você provocou-o e quando começou a briga você deu-lhe uma gravata. Mas no momento em que Cássio caiu deu-lhe uma mordida na barriga, que doeu muito e você teve de largá-lo e novamente voltou para casa chorando. A verdade era que os meninos menos protegidos estavam mais preparados para lutar.

O seu maior amigo na rua era o Izinho, neto do ministro Osvaldo Aranha, homem da confiança de Getúlio Vargas. Vocês jogavam futebol de botão juntos, colecionavam e trocavam figurinhas de jogadores profissionais, batiam bola na varanda de sua casa. Mas um dia, a um pretexto idiota, você chamou-o para briga, sabendo que nele você ia bater. E usou contra ele a mesma tática do Zé Cearense, rodopiando na frente dele e acertando tapas em seu rosto, até que ele desistiu e foi chorando de raiva para casa, dizendo que "você ia ver". E nunca mais se falaram e você ficou arrependidíssimo, até porque não houvera motivo de verdade para a briga e você perdera o seu melhor amigo.

Outro amigo seu era o Sérgio Palmeira, morador da rua Davi Campista. Um cara meio arrogante, mas vocês se davam bem, só que um dia o seu irmão se desentendeu com ele e foi uma briga feia ali na calçada da Cesário Alvim, com chute e socos, os dois batendo e apanhando, até que o pessoal, incluindo você, separou a briga. Mas Sérgio Palmeira virou um desafeto da família e você se viu sem amigos e, estudando no colégio interno, nas férias só tinha o seu irmão como companhia.

Do outro lado de sua casa havia um casarão em mau estado e se alugavam cômodos baratos, era o que se chamava de cortiço e sua mãe não deixava que vocês se misturassem aos seus moradores, um pessoal de classe mais baixa, mas vocês não entendiam o porquê do preconceito.

Certo anoitecer, um menino de uns cinco anos, o Jorginho, que morava no cortiço e costumava passear pela rua com uma garota mais velha, talvez sua irmã, ou talvez sua própria mãe solteira, enfiou um dedo numa engrenagem de bicicleta e não conseguiu soltá-lo mais. Também foram em vão os esforços de outras pessoas para soltar o dedo do garoto, que berrava de dor. Aí chamaram o Corpo de Bombeiros e o pessoal da corporação acabou desapertando a engrenagem da bicicleta e livrando o dedo já esmagado do menino. Levado ao pronto-socorro, amputaram o dedo de Jorginho, o que deixou as crianças da rua e até mesmo os adultos traumatizados. Mas quando se pedia ao Jorginho para mostrar o dedo arrancado, o garoto, inocente, mostrava a mão mutilada, sem se fazer de rogado mas com uma expressão muito séria.

Mas verdadeiramente pobres eram os moradores do Morro do Querosene, uma favela que não existe mais, logo ali no Humaitá. À noite, lá pelas oito e meia, os meninos do morro vinham bater palmas na porta das casas, trazendo latas e pedindo sobras de comida. Na sua casa e também em outras as sobras eram dadas toda noite e os meninos vinham até a porta da cozinha, pois naquela época não se temiam os meninos de favelas, que não roubavam. Era tão outro tempo, que costumavam passar à porta das casas pescadores vendendo lagostas ainda se mexendo.

Certa noite, um menino daqueles do morro foi quase atropelado diante da casa de vocês. Igual ao que acontecera com o Raulzinho, os pneus do carro rangeram forte e o veículo mal tocou no garoto, mas seu pai foi lá e o trouxe nos braços e sentou-o numa cadeira de ferro reclinada da varanda. O menino, de uns dez anos, tremia muito, mas não foi preciso levá-lo a um hospital. E todo mundo na rua comentava que o pai de vocês era um homem muito bom, o que era verdade.

A Cesário Alvim era uma rua secundária, que não deveria ser perigosa como a São Clemente, que tinha tráfego intenso, mas os motoristas cariocas abusavam e daí o perigo. Em casa todos temiam sobretudo por sua avó, que era caduca e bastante surda. Mas não adiantava proibi-la de sair, porque ela desobedecia e atravessava até a São Clemente, e às vezes vinham trazê-la em casa, depois de quase ser atropelada.

Mas não adianta romantizar a pobreza e uma noite o bairro todo acordou com um incêndio de grandes proporções no Morro do Querosene. Todo mundo saiu à rua para olhar, ao mesmo tempo condoído e fascinado. E o calor do fogo chegava até a Cesário Alvim.

A avó não estava protegida nem em casa, pois podia cair e rolar pela escada e houve pelo menos duas vezes em que teve de ser levada ao Hospital Miguel Couto, onde levou pontos na cabeça. Vocês, as crianças, às vezes também rolavam pelas escadas e choravam muito, mas, com o corpo flexível, nunca chegou a acontecer alguma fratura.

Você e seu irmão eram às vezes cruéis com sua avó e podiam dar-lhe sustos, escondendo-se atrás de uma porta e pulando aos gritos na frente dela, quando ela passava. Ela se sobressaltava toda e depois xingava aquele que lhe dera o susto. "Peste, diabo", ela dizia.

Na rádio-vitrola da sala, havia uma faixa de ondas curtas, que se ouvia com muita estática. Para sua avó, então, era apenas um som longínquo e você chegou a dizer para ela, lá pelos nove anos, quando a guerra já terminara, que "era a guerra" e ela ficava muito impressionada. Já seu pai era muito paciente e bondoso com a sogra, que ele concordara em abrigar em casa. Chamava-a, alteando a voz para se fazer ouvir, de dona Dolores.

Nos dias de São Pedro e São João, seu pai comprava fogos de artifício e ficavam todos maravilhados soltando esses fogos de noite, na porta de casa. Busca-pés, estrelinhas, rodinhas e balões pequenos, do tipo japonês.

Na época em que eles entraram na moda, vocês ganharam patins de presente, mas vocês dois, os meninos, gostavam mesmo era de fazer dos patins carrinhos de rolimã, sentando-se em tábuas sobre eles e descendo a rua desde lá do alto.

No ano de 1953, a família morou em Londres, onde seu pai cursou uma pós-graduação na London School of Economics. Ele, que dizia que o seu sonho de criança fora ter uma bicicleta, que meu avô nunca pudera lhe dar, trouxe na bagagem do navio em que vieram de volta duas bicicletas, com três marchas, para você e seu irmão. Então passaram a descer a rua desembestados sobre duas rodas. Já estudavam, então, desde 1952, no Internato São José, mas nas férias iam de bicicleta até a praia do Arpoador. Também levavam uma bola para a praia de Ipanema e ficavam batendo pênaltis um para o outro nas traves fincadas na areia.

Como morara por mais de um ano no exterior, seu pai teve direito a embarcar um automóvel, um Vauxhall, marca inglesa, e, a partir daí, a família começou a explorar pontos mais distantes do Rio, como a Barra da Tijuca e o Recreio dos Bandeirantes, fora os jogos no Maracanã, a que já podiam ir de carro. Mas televisão ainda era um artigo que nem todo mundo podia se dar ao luxo de comprar e só vieram a ter uma quando se mudaram para Copacabana. Quando queriam assistir a alguma partida de futebol pela TV, ainda em Botafogo, iam na casa dos Aranha, isso antes da sua briga com Izinho.

Lá por 54 ou 55 foram lançados os primeiros long-playings e seu pai comprou uma eletrola que permitia tocar esse tipo de disco. E sua irmã o ensinava a dançar ao som de Waldir Calmon ou Harry James e suas respectivas orquestras. Mas foi ainda na época da vitrola antiga que seu pai, que era goiano, deu uma festa para a Miss Goiás, Jussara, que fora eleita Miss Brasil e que pareceu lindíssima a você.

Goiano ilustre, seu pai foi candidato a deputado federal por aquele estado, mas não se elegeu. Nos tempos de campanha, vieram para tomar conta de vocês e da casa Berenice e Wilson, um casal de Catalão, GO, amigos de seu pai. Como não tinham muita autoridade sobre vocês, vocês aproveitavam para viver na rua.

Chegava a noite e os bondes começavam a ser recolhidos para a garagem da Light, no largo dos Leões. Você e seu irmão, aproveitando um momento de marcha lenta ou mesmo uma parada de um bonde, diante de um obstáculo ou para a descida de um último passageiro, pulavam para o estribo do elétrico que, vazio, tinha sua velocidade aumentada, vocês ali como pingentes, em malabarismos arriscados, e só saltavam no interior da garagem, fugindo então dos empregados da companhia e correndo para a rua, onde tudo recomeçava.

Um tempo depois — não dá para precisar em que idade — vocês começaram a jogar futebol com a turma do Bar e Café Ouro, incluindo malandros. Era época de férias e vocês todos pulavam o portão do Colégio Padre Antônio Vieira, ali na São Clemente, perto da Cesário Alvim. O portão era protegido no alto por pontas de ferro agudíssimas e qualquer descuido seria para se machucar de verdade. Mas uma vez lá dentro, com uma bola oficial velha que seu tio havia lhe dado, faziam o maior racha no campo de pequenas dimensões, com duas traves.

Vocês eram garotos e tinham de se esquivar das jogadas mais violentas deles, que eram adultos, ou mesmo de boladas. E você vibrou quando o Wilson, um dos frequentadores mais assíduos do botequim, disse que você era de bola. E seu irmão, não.

Com o tio, vocês começaram a ir no carro dele a todos os jogos do Fluminense, nas divisões de juvenis, aspirantes e profissionais, até nos subúrbios mais distantes no Rio de Janeiro: Olaria, Madureira, Bonsucesso, Bangu. E para os jogos contra o Canto do Rio, o tio estacionava o carro na praça XV e vocês tomavam a barca de Niterói, cheia de torcedores do Fluminense com suas bandeiras tricolores.

Vocês, garotos, tinham saído da toca e aprendido a ir a todos os campos da cidade, e, se por acaso o tio não podia ir, você e seu irmão pegavam lotações que os deixavam perto dos estádios, ou até o trem quando o jogo era em Bangu ou Madureira.

E houve aquele tempo em que o tio, separando-se da mulher, veio morar com vocês na rua Cesário Alvim. A mãe pôs um sofá-cama no quarto de vocês para ele, o tio Luiz, dormir. E, de noite, além de ler e comentar as páginas esportivas e policiais de um jornal, ele narrava todas as suas peripécias sexuais, e foi essa a época em que a educação sexual de vocês, mal contada por colegas de colégio, se completou. Foi também quando você teve a sua primeira experiência no rendez-vous da rua Riachuelo, 388. Você tinha uns catorze anos.

Luiz era o filho mais velho e o preferido de sua avó, que gostava de sentar-se com ele numa cadeira da varanda e desfiar um rosário de queixas. Com sua mãe ela não se dava bem e pouco se falavam. Não é impossível que ela tenha sofrido do mal de Alzheimer, que naquele tempo não existia oficialmente. Em geral mais resmungava do que falava e, em sua "caduquice", nos passeios de carro, às vezes apontava algumas casas em Copacabana ou no Leblon, bairros onde nunca morara, dizendo que as tais casas tinham sido da sua família.

O fato de ser velha e ter um corpo bastante estropiado não impediu que você, umas poucas vezes, a espiasse trocando de roupa, pelo buraco da fechadura, sem sentir nenhum desejo e sim curiosidade. Às vezes você, na sua inconstância, podia tratar sua avó muito bem e cair nas suas boas graças. Então ela lhe oferecia um pires com um pouco do mingau de maisena, endurecido, que ela guardava na geladeira.

Durante uns tempos andou pregando pelo Brasil um certo padre Antônio, diante de quem as pessoas que padeciam de enfermidades se postavam para que ele as benzesse e diziam que ele poderia curá-las. Padre Antônio também podia benzer as pessoas pelo rádio, bastando que estendessem para o aparelho um copo d'água, enquanto ele orava pelos doentes. E assim foi com sua avó, que depois molhou as mãos com a água benta, para se curar de um eczema nas mesmas mãos. E você ficou ali contemplando tudo, à espera de que o milagre se desse, e até lhe pareceu que as mãos de sua avó melhoravam. Você, com toda a certeza, era um menino ainda, para ser tão crédulo.

Na verdade, sua avó sofria de várias doenças da velhice, como arteriosclerose, cardiopatias, a decrepitude, enfim. Até que não pôde mais sair do leito e era atendida dia e noite por enfermeiras. Certa noite, você olhou para dentro do quarto dela por uma fresta na porta e viu que ela delirava e algumas vezes sorria nesse delírio.

Quando o quadro se agravou irremediavelmente, veio um padre para lhe administrar a extrema-unção. Pela porta entreaberta você olhou para aquele rito e viu que sua avó não só reconheceu a presença do padre como sorriu para ele.

Você já estudava no Internato São José havia algum tempo e, certo princípio de noite, no recreio, depois do jantar, o irmão Francisco, seu regente da turma dos médios, foi lhe avisar que era para você ir para casa porque sua avó falecera. O mesmo aviso deram a seu irmão, na turma dos maiores. Vocês subiram aos respectivos dormitórios, trocaram sua roupa comum, com a calça cáqui e camisa branca, pelo terno de saída, sem gravata, pegaram um lotação e foram para casa. Chegando lá, havia um recado e dinheiro, para vocês pegarem um táxi e irem para o Cemitério São João Batista.

Passaram a noite na capela do velório e ninguém chorava, talvez houvesse até um certo alívio pelo falecimento da avó. Mas você não deixou de se impressionar com o cadáver e com o caixão baixando à sepultura. E, no almoço e no jantar do dia seguinte, havia aquela sensação de uma ausência na casa e um clima de melancolia.

Naquela época seu pai estava melhorando de vida e comprara um apartamento novinho, em Copacabana. Mas com sua avó, mesmo antes da enfermidade final, seria um problema morar num edifício, tendo de pegar elevador e tudo mais. Mas, pouco tempo depois do falecimento dela, vocês se mudaram para o apartamento na rua Santa Clara e, a partir daí, se descortinava um mundo novo e fascinante.

Amigos

Em meu primeiro contato com Getúlio Barros nos desentendemos e me preparei até para uma briga de porrada. Eu tinha mudado do turno da manhã para o turno da noite, no meio do ano, no Colégio Marconi, em Belo Horizonte, e também optara por me transferir do curso científico para o curso clássico. No científico eu estava me dando muito mal nas matérias de ciências exatas: matemática, física e química, e ia ser reprovado. E no curso clássico as ciências exatas eram ministradas de carregação, pois o clássico se destinava aos que iam estudar direito, letras ou filosofia. Então se priorizavam português, latim, inglês e francês.

Mas o fato é que no primeiro semestre eu não estivera dando a mínima para os estudos. Aprendia a voar pequenos aviões num aeroclube e andava com uma turma de lambretistas como eu, no bairro dos Funcionários. E durante as férias de julho fizera uma pequena viagem à Europa, com passagens de cortesia que um agente de viagens, amigo de meu pai, conseguira para mim. E no início do segundo semestre, quando começaram as aulas, fui sentar-me numa das últimas carteiras da sala. A princípio não houve problema algum, mas no primeiro dia em que Getúlio apareceu na classe foi logo dizendo que a carteira que eu estava ocupando era dele desde o princípio do ano. Argumentei que no colégio não havia esse negócio de lugar marcado e não arredei pé. Aí o professor entrou na sala e a discussão morreu, mas ficou mais ou menos entendido que conversaríamos eu e Getúlio na saída. Fiquei sabendo o seu nome na hora da chamada.

Esperei na porta do colégio e ele veio falando alto e grosso — sua voz era grave — e a conversa era a mesma: que ele sempre sentara naquela última carteira e eu, embora não quisesse brigar de fato, disse que os lugares eram de quem chegasse primeiro. Ele era um cara baixo e magro e não me metia medo, mas logo alguns colegas se interpuseram entre nós e cada um seguiu para o seu lado.

Passou um tempo e acabei me encontrando com Getúlio numa mesa de bar, com vários outros colegas, e conversamos numa boa, sem menção alguma ao pequeno incidente. De algum modo ele ficara sabendo que eu estivera sozinho em Paris no mês de julho e isso o impressionara, pois tocou no assunto e perguntou "que tal?" e eu disse que fora ótimo mas que no final da viagem ficara sem dinheiro nenhum. Ele usava um paletó, tinha um dente escuro logo na frente da arcada superior e deixou escapar que trabalhava como bancário. Eu pensei que ele iria me tratar como um filhinho de papai, mas não, havia a aura de Paris e também porque num momento qualquer se falou sobre livros e ambos éramos bastante lidos para a nossa idade.

Getúlio queria saber de mim se eu lera *Os Thibault*, do francês Roger Martin du Gard. Eu disse que não e ele falou que era genial, uma leitura indispensável, mas que era difícil encontrar o livro. Mas se eu quisesse, ele me emprestaria. Acabou me levando os três volumes do livro no colégio e, a essa altura, já podíamos nos considerar amigos. Demorei um pouco a ler a obra, mas, quando o fiz, gostei, sem maiores entusiasmos. O livro narrava, principalmente, a trajetória dos irmãos Jacques e Antoine Thibault e das famílias Thibault e Fontanin. Também em primeiro plano a Primeira Guerra Mundial e as ideias políticas socialistas, pacifistas e belicistas, em que as sociedades francesa e europeia da época se debatiam.

Mas me impressionou e causou-me um certo desconforto o amor adolescente entre dois personagens masculinos. Quando devolvi o livro a Getúlio, uns dois anos depois, apenas lhe disse que o livro era muito bom, não falei sobre tal aspecto.

No ano de 1961, o mesmo em que conheci Getúlio Barros, fiz um cursinho para o vestibular de direito. O segundo semestre foi marcado por uma intensa turbulência política, com a renúncia, em 21 de agosto, do presidente Jânio Quadros, eleito em outubro de 1960 e empossado em 31 de janeiro de 1961. Os políticos conservadores, tendo à frente o deputado Carlos Lacerda, apoiados pela maioria dos militares, tentaram impedir a posse do vice-presidente, o gaúcho João Goulart, Jango, considerado pela direita como comunista. Aliás, Jango estava em visita à China quando da renúncia de Jânio. Após forte resistência do governador do Rio Grande do Sul, Leonel Brizola, cunhado de Jango, apoiado pelas tropas do Exército sediadas naquele estado, chegou-se a uma solução de compromisso, com o Congresso Nacional aprovando a adoção do parlamentarismo. Quer dizer, Goulart se tornou presidente, mas não mandaria de fato, até que, em janeiro de 1963, um plebiscito popular aprovou por esmagadora maioria a volta do presidencialismo e Jango se tornou presidente com as prerrogativas plenas do cargo. Grosso modo foi isso, pois essas são memórias pessoais e sem lugar para uma história política meticulosa.

No fim do ano, passei em trigésimo oitavo lugar no vestibular de direito, enquanto Getúlio passou em décimo segundo, mas nos encontramos raras vezes, até porque eu cursava a faculdade no turno da manhã e Getúlio, no da noite, isso no primeiro semestre de 1962. Mas por ocasião da final da Copa do Mundo daquele ano, em 17 de junho, tendo o Brasil se sagrado bicampeão mundial, estávamos eu e minha namorada Mariza no centro de Belo Horizonte, para jantar fora, quando, no meio de uma intensa comemoração, fomos atraídos por um tumulto na galeria do Edifício Arcângelo Maletta. De longe, vi que um monte de rapazes estava escorraçando Getúlio da Cantina do Lucas, prestes a espancá-lo, quando, por sorte, vi que um dos quase agressores era um conhecido meu, na verdade um vizinho de rua, e pude falar com ele e tirar Getúlio da confusão, formada porque Getúlio estava tentando ridicularizar, chamando de alienados, os que comemoravam a vitória do Brasil. E Getúlio acabou por sentar-se conosco à mesa de um restaurante próximo. Ainda irado chamava os torcedores de imbecis e ridículos.

Mas só comecei a andar mesmo com Getúlio quando me transferi, no segundo semestre, para o curso noturno de direito, porque comecei a trabalhar como auxiliar de escritório na Petrobras, ficando noivo de Mariza, com quem vim a me casar na Semana Santa de 1963. Aí fiquei amigo para valer de Getúlio e de um amigo dele, Luiz Adolfo. Nós três passamos a nos encontrar frequentemente e pude saber várias coisas deles dois, que também ficaram bastante amigos de Mariza.

Getúlio Barros fora aluno do Caraça, colégio de padres, em Santa Bárbara, no interior de Minas Gerais, internato famigerado por sua disciplina e um catolicismo rígido. Era também um seminário. Getúlio ficara marcado e estigmatizado por essa educação e acabou sendo expulso do colégio, mas eu nunca soube exatamente por quê. Do Caraça trouxe, além da revolta, um bom conhecimento de latim e português, que lhe valeu sua excelente colocação no vestibular.

Uma das coisas que me fascinava em Getúlio, a par da sua inteligência e bom gosto literário, era a sua filiação ao Partido Comunista Brasileiro, embora, para quem o conhecia de perto, ficasse evidente o seu anarquismo revoltado. E acabou sendo expulso do partido, por essa rebeldia anárquica. Gozou a expulsão, dizendo que era preciso entrar no PC para poder sair do PC.

Nós três, Getúlio, Luiz Adolfo e eu, tínhamos pretensões literárias, embora só Luiz Adolfo a pusesse em prática ainda jovem. Também filiou-se ao PC, do qual saiu ou foi expulso, não tenho bem certeza, por ser considerado existencialista.

Quanto a seus contos, que me pareciam bastante bons, LA falava que, quase desnecessário dizer, eram politicamente engajados. Então Sartre e Simone de Beauvoir vinham constantemente às nossas conversas, no Restaurante Albamar, próximo à Faculdade de Direito.

Como jornalista, Luiz Adolfo vinha cumprindo uma pauta, de um matutino local, que era traçar perfis de diretores e presidentes da Associação Comercial e Federação das Indústrias mineiras. Retratando um capitão de indústria, LA colocou como subtítulo da matéria "A infância de um chefe", tirado do título de uma pequena novela de Sartre, em que o autor francês narra a infância de um burguês fascista, passando inclusive por um episódio de homossexualidade. Luiz disse para nós, ironicamente, que não havia nenhum perigo de o industrial ler Sartre.

Da minha parte, não só a leitura do casal Sartre & Simone como o fato de ter me sentado nos cafés de Flore e Aux Deux Magots, frequentado pelos existencialistas, davam-me um certo prestígio entre aqueles amigos, embora eu só terminasse de escrever um primeiro conto em 1966.

Em 1961, com apenas dezenove anos, o pernambucano

Aguinaldo Silva publicou um romance com o nome de *Redenção para Job*, com grande repercussão, por sua rebeldia social e pela idade do autor. Talvez por despeito, Getúlio, que leu o livro, disse que o mesmo era ridículo, uma palavra que ele usava muito.

Em 1962, aconteceu no Diretório Central dos Estudantes, de Belo Horizonte, um grande, panfletário e inflamado evento do Centro Popular de Cultura, da União Nacional dos Estudantes, com lançamento de livros, discursos, leituras de poesia etc., com a presença de um grande público, que lotou o DCE. Fomos até lá nós três, além de Mariza, e, irreverente, Luiz Adolfo disse que teve vontade de sair dali fascista.

Já a Semana de Poesia de Vanguarda, em agosto de 1963, realizada na reitoria da Universidade de Minas Gerais, contou com o entusiasmo de nós todos. Foi quando fui apresentado aos poetas Haroldo de Campos, Augusto de Campos, Décio Pignatari e Affonso Ávila. Fomos depois, junto com os poetas, ao Restaurante Alpino. Não tendo dinheiro para pagar nossa pequena consumação, saímos de fininho, mas valeu a pena ouvir os concretistas falando sobre o formalismo russo e coisas afins.

Foi nessa noite que conheci o jovem poeta mineiro Henry Corrêa de Araújo, amigo de Getúlio e Luiz Adolfo e que também se tornou amigo meu. Em seus vinte e um anos Henry já era respeitado pelos concretistas de São Paulo. Era uma época em que se tentava juntar vanguarda e participação política e lembro-me de um poema de Henry que começava assim: "Em outubro me descubro rubro". E havia também um poema visual de Décio Pignatari que jogava com as palavras "coca-cola", "caco", "cloaca". Henry se casara aos vinte anos com a bela Dirlene, e aos vinte e um já tinha um filho. Acabou tendo seis e a relação dele com a mulher foi marcada por brigas, quebra-quebras em sua casa e o alcoolismo de Henry, que se perdeu para a poesia. Dirlene chegou, inclusive, a queimar originais de poemas de Henry.

Os poetas de São Paulo e também Affonso Ávila já eram casados, mas para nós, solteiros, em Belo Horizonte, não era fácil conviver à noite com as garotas, reprimidas pelos pais, a menos que se demonstrasse intenção de namorar firme com elas, como era o meu caso com Mariza. Mas havia uma bela moça, estudante de direito, Lúcia Rosa, mais adiantada do que eu na faculdade, que Getúlio vivia dizendo que eu precisava conhecer. E de fato a conheci, saindo com Getúlio, ela e o dono do carro em que íamos, cujo nome não me lembro. Sentei-me com Lúcia no banco traseiro e logo já estávamos de mãos dadas. Embora Lúcia já fosse uma moça que desfrutava de sua liberdade, não fomos além disso, mas Getúlio ficou furioso, dizendo aos brados que sabia que a gente ia se apaixonar. Tempos depois, fiquei em dúvida se o ciúme não era de mim.

Mas o fato é que eu já estava noivo de Mariza. Às vésperas do nosso casamento, foram, Getúlio e Luiz Adolfo, no carro de um amigo, David, até as proximidades da obra de construção da Refinaria Gabriel Passos, em que eu trabalhava, na estrada de Betim, e arrancaram a placa de sinalização dessa mesma obra e a depositaram em frente de minha casa, onde eu ainda morava com os meus pais.

Luiz Adolfo, que era pichador contumaz de propaganda política, pichou, na calçada em frente à casa, junto à placa da refinaria, os seguintes dizeres: "Leiam Sartre". Meu pai ficou bastante preocupado com a placa da refinaria e não me lembro que sumiço foi dado a ela.

Certa vez, ainda solteiro, voltando do Rio de Janeiro no Volks de um amigo, Hugo Pinheiro Chagas, que teve como companhia no banco da frente outro amigo, Eduardo, sentei-me no banco de trás com Getúlio e, a certa altura da viagem, Getúlio deitou a cabeça no meu ombro e adormeceu, ou pelo menos fechou os olhos, não sei por quanto tempo. Foi um gesto de ternura, que, embora eu estranhasse, não me desagradou.

Ao meu casamento com Mariza, na Semana Santa de 1963, para grande decepção minha, não compareceram Getúlio nem Luiz Adolfo. Mas depois passaram a frequentar com assiduidade o nosso apartamento.

Um caso que me lembro de Getúlio, que pode dar uma ideia de seu gosto pela molecagem, foi ele atendendo, no Centro Acadêmico Afonso Pena, da Faculdade de Direito, a um telefonema de um jornalista do *Diário de Minas*, que desejava saber quais eram os prognósticos para as eleições do Centro, que iam se realizar dali a poucos dias. Getúlio atendeu como se fosse um colega nosso, Antônio Augusto, afirmando que as candidaturas se definiam em termos de esquerda e direita e que ele, Antônio Augusto, era de esquerda e apoiava o candidato da FAR, Frente Acadêmica Renovadora, em quem votaria. Isso saiu publicado no jornal e Antônio Augusto ficou uma fera, porque pretendia inscrever-se no concurso para o Itamaraty e temia ser prejudicado por essa declaração.

Mas Getúlio podia ser cativante quando queria e lembro-me de nós dois tendo uma aula com meu pai, pois tínhamos ficado em recuperação em economia política, no primeiro ano da faculdade. Meu pai era economista e professor na Faculdade de Ciências Econômicas, da Universidade de Minas Gerais. Era um excelente professor e expunha com uma clareza impressionante o seu raciocínio. Eu lhe havia avisado que Getúlio era comunista e meu pai expôs que tanto a socialização dos meios de produção como a manutenção desses meios em mãos particulares podiam dar resultados. E exemplificou com os casos da União Soviética e dos Estados Unidos. E havia também os casos mistos como o do Brasil, que estatizara certos setores da economia, que exigiam grandes investimentos, e deixava o restante em mãos privadas. E que escolher entre um regime e outro era uma questão de opção, mas que não havia mais o capitalismo absoluto na imensa maioria dos países. E nos expôs o pensamento do economista John Maynard Keynes, partidário dessa intervenção estatal. Getúlio disse a meu pai que aquela fora a melhor aula de economia que ele havia tido.

Getúlio não tinha uma vida organizada e, naquela noite e também numa outra, dormiu no meu quarto, onde havia um sofá desdobrável em cama. Diante de certas evidências que depois vieram à tona, posso dizer que seu comportamento foi impecável, sem nenhum tipo de insinuação.

Ambos achávamos Luiz Adolfo genial, como jornalista, intelectual e escritor, mas o jornalista verdadeiramente admirado por todos os seus colegas era Fernando Gabeira que, aos vinte e um anos, já era chefe de reportagem no *Correio de Minas* e também cronista da ótima revista *Alterosa*. Uma intervenção sua que circulava no meio jornalístico era de Gabeira criticando o lide de um redator com a seguinte frase: "Esse lide é fecal".

Numa noite, estando sentados à mesa do bar Sagarana, no segundo andar do Edifício Maletta, Getúlio, Luiz Adolfo, Mariza, eu e Gabeira, este pontificou, com sofisticação, falando sobre uma "mulher azul", que fora tema de uma crônica sua na *Alterosa*, que todos nós havíamos lido. Quando se soube que Gabeira, então trabalhando no *Jornal do Brasil*, no Rio, fora um dos sequestradores, em 1969, do embaixador americano Charles Burke Elbrick, as pessoas diziam: "Poxa, mas o Gabeira!".

No mesmo Sagarana, certa noite, estávamos Mariza e eu com Getúlio, quando este levantou-se e disse a nós: "Já volto". E não apareceu mais. Uns três ou quatro dias depois, estando Mariza e eu no mesmo bar, Getúlio apareceu e disse, com uma risada: "Pronto, voltei". Neste momento da escrita, me aperta o peito a saudade daquele tempo.

No segundo andar do Maletta havia outro bar, Berimbau, e foi ali que eu e Mariza ouvimos pela primeira vez o cantor Bituca, apelido de Milton Nascimento, cantando músicas de jazz, acompanhado pelo pianista Wagner Tiso e pelo sax de Nivaldo Ornelas. Era impressionante a qualidade do show. O irmão de Mariza, Sérgio, também era músico, tocando vários instrumentos, e combinou com a gente, que já havia se casado, uma feijoada para o Bituca, no entender de Sérgio o maior cantor do Brasil.

Depois da feijoada, fui descansar no quarto, mas logo ouvi aquela voz maravilhosa do Bituca na sala, acompanhando-se de violão. Fui até lá e perguntei ao Bituca de quem era mesmo aquela música tão linda que ele acabara de cantar e ele disse, simplesmente: "É *minha*".

Entre os meus colegas de faculdade fiquei grande amigo de Léo Pompeu, um cara inteligente com quem eu gostava de conversar, e nos tornamos confidentes. Léo era um sujeito por quem as garotas se interessavam, mas ele não se fixava em ninguém, até que alguns anos depois veio a encontrar Regina, que se tornou sua companheira e depois esposa, enquanto eu já era casado com Mariza desde os vinte e um anos, quando ainda cursava o segundo ano da faculdade, e ela tinha vinte e cinco. Foi no final de 1962, já noivo, que eu começara a trabalhar como auxiliar de escritório na Petrobras, na obra de construção da Refinaria Gabriel Passos, Regap.

Embora eu apreciasse o esquerdismo bastante anárquico de Getúlio e Luiz Adolfo, acabei convencido por Léo a entrar para um grupo político sério, a Ação Popular, de que ele fazia parte. O Partido Comunista não me atraía, apesar de eu me relacionar bem com os comunistas da Petrobras, quando fora eleito diretor do sindicato dos trabalhadores da Regap. A Ação Popular, fundada por Herbert José de Souza, o Betinho, era um grupo que se queria revolucionário, mas sem seguir os dogmas do marxismo-leninismo.

Mas uma das coisas que eu mais gostava em Léo era que, com ele, eu podia conversar seriamente sobre a vida e até sobre futebol. Era mais identificado com ele em matéria de classe, a classe média bem definida. Léo também se dava muito bem com Mariza e, quando eu já era casado com ela, ele costumava me pegar de carro em casa para irmos jogar futebol de salão e isso me fazia bastante bem. E outras vezes íamos ao Mineirão assistir jogos de futebol profissional, esporte para o qual Getúlio e Luiz Adolfo não davam a mínima.

Léo, porém, antes de se tornar o meu melhor amigo, partilhava da intimidade sobretudo de dois colegas: Lúcio e Bogliolo, este também da AP. Quis a sorte que ambos morressem muito cedo, Lúcio afogado na praia de Ipanema e Bogliolo num desastre de automóvel dirigido por ele mesmo. Lúcio se afogou quando eu estava na praia e fiquei sabendo dos rumores da tragédia por alguns conhecidos de Belo Horizonte, que me perguntaram se eu identificaria o corpo no Posto de Salvamento do Lido. Fui até lá, e quando um guarda-vidas descobriu a cabeça do cadáver, vi que era ele mesmo e fiquei impressionadíssimo com aquele rosto pálido, de um jovem que eu me acostumara a ver com vida. Mas não pude dar as coordenadas de como encontrar os seus parentes.

Conversando com Léo dias depois, na faculdade, sobre Lúcio, ele comentou com a frase famosa de Guimarães Rosa: "Viver é muito perigoso". Já sobre Bogliolo disse que o amigo, gravemente ferido no hospital, perguntou ao pai se iria morrer e o pai fez um sinal afirmativo com a cabeça. Eram católicos e creio que o pai achava importante que o filho tivesse lucidez para se preparar para a morte com os sacramentos.

De certa forma, aquelas mortes me davam uma noção mais clara da fragilidade da vida. E tais mortes me fazem lembrar de dois colegas que morreram de forma nada acidental, pois assassinados pela repressão da ditadura. Antônio Joaquim que, vivendo na clandestinidade no Rio de Janeiro, tentou, ao que se dizia, sacar uma arma e foi morto pelos militares que foram prendê-lo e atiraram nele. A triste ironia é que, segundo eu soube, Antônio Joaquim já chegara à conclusão de que a luta armada não daria resultado e queria dar um jeito de sair dela, mas aí só se fugisse para o exterior. Já José Carlos da Matta Machado, dos quadros da AP, que fora presidente do Centro Acadêmico Afonso Pena, diretório da faculdade, mergulhou fundo na luta armada e foi preso em Recife e barbaramente torturado, não resistindo aos ferimentos. Na época, os militares tentaram simular que Zé Carlos resistira armado à prisão e assim foi morto, o que nunca convenceu ninguém.

Mas talvez a morte que mais tenha me impressionado, o que perdura até hoje, foi a de Hélcio Minhoca, meu colega de Colégio Marconi. Estando num carro de outro colega, Miltão, o veículo capotou. Miltão conseguiu sair, mas Hélcio ficou preso nas ferragens, enquanto o veículo pegava fogo. E Hélcio gritava: "Miltão, me tira daqui; Miltão, me tira daqui". Mas foi impossível meter as mãos nas labaredas. A morte de Hélcio, carbonizado numa manhã depois da aula, em seus dezoito, dezenove anos, é para mim um exemplo claro da gratuidade da existência.

Minha militância política na Ação Popular se deu tanto no sindicato da Refinaria Gabriel Passos, ainda em construção, como na Faculdade de Direito, mais na primeira do que na segunda. Nos dias 30 e 31 de março de 1964 estava no Rio de Janeiro a serviço da empresa. Lembro-me de que no voo BH-Rio, no dia 29, li no *Jornal do Brasil* um editorial pregando abertamente o golpe contra o presidente João Goulart. Aliás, quase toda a imprensa e os militares já se voltavam contra Jango desde o Comício das Reformas, na Central do Brasil, em 13 de março, quando o presidente assinou ali mesmo decretos dispondo sobre a reforma agrária, a encampação de refinarias particulares, além de proferir todo um discurso radical de esquerda. O editorial do *Correio da Manhã*, no dia 31 de março, tinha o título de BASTA. Enfim, as rebeliões contra o governo Goulart se sucediam entre os militares e nos meios políticos conservadores.

Mas não me cabe aqui reescrever esses fatos importantes da história do país, apenas acrescentar um modesto testemunho.

Partilhando um quarto no Guanabara Palace Hotel, quase em frente à sede da Petrobras, com um colega do sindicato em Minas, Manoel Pinto, vimos passar, na noite de 31 de março, em caminhões e tanques, as tropas do I Exército sediadas no Rio de Janeiro rumo a Minas Gerais, onde se rebelara, à frente da 4ª Divisão de Infantaria, sediada em Juiz de Fora, o general Olímpio Mourão Filho, que recebeu o reforço do contingente baseado em Belo Horizonte. No entanto, ao se encontrarem no meio do caminho, os comandantes de ambas as forças confraternizaram em favor da derrubada do presidente. Somada a isso a adesão do general Amaury Kruel, comandante do II Exército, sediado em São Paulo, o golpe de Estado foi vitorioso, sem que se disparasse um tiro sequer.

Tendo me encontrado, na mesma noite de 31 de março, num botequim da praça Mauá, com Getúlio e Luiz Adolfo, ambos já trabalhando como jornalistas no Rio de Janeiro, lembro-me de que Luiz Adolfo garantiu que Jango sufocaria a rebelião. Depois, viu-se o que se viu.

No dia 1º de abril de 1964, para muitos a verdadeira data do golpe, estava eu reunido com outros sindicalistas — eu era apenas um neófito entre os mais experientes — na antessala do marechal Osvino Alves, então presidente da Petrobras, quando me disseram para passar um rádio para a Regap, em Betim, comunicando que todos deviam entrar em greve, como já tinham entrado as demais unidades da Petrobras. Mal sabia eu que a Regap estava ocupada por militares que apoiavam o golpe. E, para sorte minha, esse rádio jamais foi encontrado por aqueles que me interrogaram num inquérito policial-militar, que acabou servindo de base para minha demissão da empresa.

Também me foi pedido que fosse à Rádio Nacional, na praça Mauá, para transmitir uma mensagem, em nome dos trabalhadores da Petrobras em Minas Gerais, de resistência ao golpe e apoio ao governo João Goulart. Mas, antes que eu saísse em direção à Rádio, chegou na sede da empresa a notícia de que a emissora já fora ocupada pela Polícia Militar de Carlos Lacerda, governador do estado da Guanabara, um dos líderes civis do movimento pela derrubada de Jango.

Mas ali na sede da empresa ainda havia uma ilusão de que, estando o país dividido, poderia haver uma luta armada em que sairíamos vencedores. O prédio estava guardado pelas tropas dos Fuzileiros Navais, comandadas pelo almirante Cândido Aragão, o último a se entregar no Rio de Janeiro dentre os que eram contra a derrubada de João Goulart. Pensando agora, um pouco mais de cinquenta anos depois, acho que a excitação me anestesiava, pois não sentia medo.

Na hora H, em que a situação se definiu, eu estava na sala de Almir de Oliveira Bastos, do gabinete de Gurgel do Amaral, diretor da Petrobras. Eu conhecera ambos na obra de construção da Refinaria Gabriel Passos, que Amaral chefiara, secundado por Almir.

Mas de Almir, sobretudo, eu ficara amigo. Na verdade, o admirava e à sua inteligência irônica, e com ele podia conversar sobre outros assuntos além de política e petróleo. Falávamos até de literatura.

Lá pelas quatro horas da tarde desse dia 1º de abril, Almir recebeu um telefonema e me disse: "Vamos embora, Sérgio". "Mas por quê, Almir?" "Lá embaixo eu te explico." Ele pegou um revólver em sua gaveta, chamou Amaral, Manoel e eu, e fomos pegar o carro de Amaral na empresa, servido por um motorista. E já no elevador, sem perder a calma, Almir nos comunicou que havíamos perdido. Pediu para que eu e Manoel nem passássemos no hotel, que podia estar sendo vigiado.

O fato é que os Fuzileiros Navais já estavam se retirando do edifício. E o governador Carlos Lacerda, histérico, desafiava Aragão por uma emissora de rádio. E não demorou para que as tropas da PM de Lacerda, como logo soubemos, ocupassem a sede da Petrobras. E quem permanecera lá dentro fora preso.

O mais deprimente foi que, no caminho até Copacabana, rumo a um apartamento, cujo dono saiu com a família para que lá nos abrigássemos, vimos a chuva de papel picado atirado dos apartamentos desde o bairro do Flamengo, com a classe média comemorando o que chamava de revolução anticomunista.

Ao anoitecer daquele mesmo dia, João Goulart pegou um avião junto com a família e rumou para Porto Alegre e, alguns dias depois, para um sítio de sua propriedade em São Borja, também no Rio Grande do Sul, nas proximidades do Uruguai, país em que acabou se exilando e onde permaneceu até sua morte, em 1976. De noite, abrigados num apartamento na rua Santa Clara, éramos quatro, Amaral, Almir, Manoel Pinto e eu, assistindo, desolados, aos noticiários das TVs informando a sucessão de acontecimentos, com a subida ao poder de uma junta militar e a prisão de muitos inimigos do novo regime.

Mais tarde, resolvemos sair de carro, ainda com o motorista da Petrobras. Chovia muito e, ao passarmos em frente ao Forte de Copacabana, cercado por tropas do Exército, vimos que os soldados eram aclamados pelas pessoas de classe média que levavam para eles sanduíches, chocolates e refrigerantes. Num acesso de insensatez, Amaral, bêbado, pois vínhamos tomando uísque no apartamento, tentou pegar um revólver guardado no porta-luvas do carro e, gritando, apontá-lo para os militares. Antes que pudesse fazer qualquer coisa, foi agarrado por nós que íamos no banco traseiro.

Já perto da meia-noite, ainda tomávamos uísque e comentávamos os acontecimentos. Ouvíamos também a Emissora da Legalidade, em que o agora deputado federal pelo estado da Guanabara, Leonel Brizola, tentava organizar, no Rio Grande do Sul, uma resistência ao golpe. O III Exército, sediado naquele estado, foi o último a se render e Brizola também teve de asilar-se no Uruguai.

Salvo o momento da bravata de Amaral, não me lembro de ter sentido medo naquela noite. E estava dando telefonemas interurbanos para Mariza, visando acalmá-la, porque depois de uma briga por causa da dedicatória carinhosa que eu escrevera num livro que emprestei para uma colega de trabalho, em BH, e que Mariza acabou lendo quando da sua devolução, ela foi para a casa dos pais, perto do nosso apartamento, e eu viera para o Rio sem despedir-me dela. Os companheiros de apartamento reclamavam desses telefonemas, com razão, porque desconfiavam de uma possível escuta telefônica, pois o apartamento pertencia a um ativista de esquerda e, pensando bem, não era mesmo um lugar ideal para nos escondermos.

Na manhã seguinte, ainda servidos pelo motorista de Amaral, este último ainda oficialmente diretor da Petrobras, fomos ao centro da cidade e paramos diante da sede da empresa. Num relance, percebi que o prédio estava ocupado pela Polícia Militar. Amaral e Almir, que desceram pelo lado direito, entraram no edifício e tiveram de dar explicações, mas não chegaram a ser presos, apenas foram demitidos dos cargos de confiança e, posteriormente, processados e demitidos da empresa.

Já eu e Manoel, sindicalistas fora do seu estado, descemos pelo lado esquerdo e nos perdemos no meio dos carros. Manoel foi pegar suas coisas no hotel e eu fui para detrás da igreja da Candelária, a fim de observar a sede da Petrobras, bem visível dali. E encontrei-me com Humberto Jansen Machado, diretor no Sindicato dos Petroleiros no Rio de Janeiro. Disse-me que estava pensando em se esconder, porque todo o pessoal dos sindicatos estava sendo preso e enviado para o presídio da Ilha Grande.

Não me lembro mais do que Manoel fez naquela manhã, mas sei que anos depois tomou parte na luta armada, foi preso e torturado. Quanto a mim, resolvi fechar logo a minha conta no Guanabara Palace Hotel, que poderia ser visado pela polícia, provavelmente informada de que ali se hospedavam sindicalistas da Petrobras. Aliás, minha situação era ambígua, pois eu fora para o Rio a serviço e, depois, com a decretação de greve desde 31 de março, me juntara ao pessoal dos sindicatos.

Peguei minha mala, paguei a conta rapidamente, para ser reembolsado depois, e rumei para o "esconderijo". Só se encontrava lá a empregada. Foi quando tocou o telefone e resolvi atender. Uma voz do outro lado bradou: "Avise àquele comunista filho da puta que vamos aí pegar ele". E bateu o fone. Era óbvio que se tratava de um trote cheio de maldade, pois quem quer prender não avisa. Mas mostrava que o dono do apartamento era no mínimo suspeito para o novo regime.

Só esperei, então, que voltasse alguém, que acabou sendo o próprio dono do apartamento, que viera ver como as coisas estavam. Contei-lhe sobre o telefonema e ele disse que só podia ser um trote, mas seu rosto denotava preocupação. Naquele momento mesmo decidi voltar para Belo Horizonte, pois o melhor, já que eu fora para o Rio a serviço, era agir o mais naturalmente possível. Mas achei prudente não usar minha passagem da Petrobras e comprar outra. E voltei para casa e nunca fui preso, mas vivi um período de grande intranquilidade, sendo processado num inquérito policial-militar e convocado para depor algumas vezes. Por fim, fui demitido, o que me deu uma certa sensação de alívio, porque era uma punição branda e eu não gostava de trabalhar na empresa, nem da vida sindical.

Fiquei desempregado por uns meses, vivendo de uma indenização que recebi da Petrobras. O dinheiro estava curto, mas eu não me preocupava muito, embora Mariza logo ficasse grávida de nosso primeiro filho, André, que nasceu em 14 de dezembro de 1964. Não me preocupava muito porque meu pai ocupava o cargo de secretário-geral no Planejamento, cujo ministro era Roberto Campos. Quando Campos viajava para fora do país, meu pai o substituía como ministro interino e despachava com o então presidente da República do regime militar, marechal Humberto de Alencar Castelo Branco. E eu sabia que, mais cedo ou mais tarde, meu pai me conseguiria um emprego, o que efetivamente aconteceu, não por influência dos militares, o que seria incabível, mas do deputado da oposição moderada Tancredo Neves. Fui então nomeado funcionário interino da Justiça do Trabalho em Belo Horizonte.

Cheguei a estar brevemente com Roberto Campos, por duas vezes, e tomar uísque com ele, junto com meu pai, é óbvio, e confesso que o admirava por sua inteligência e senso de humor. Numa dessas ocasiões chegamos a conversar sobre Nelson Rodrigues. Evidentemente, Campos não sabia que eu era um esquerdista, sendo que Nelson, amigo do ministro, era abertamente a favor do regime militar.

Posteriormente, com a Constituição de 1967, votada por um Congresso fantoche e promulgada pelo governo militar, os interinos do serviço público foram efetivados e minha situação era no mínimo curiosa. Como não havia cruzamento de dados, por um lado eu me tornava funcionário efetivo do Judiciário e, por outro, era processado por subversão num inquérito policial-militar.

Meu sonho na vida era escrever e, como meu novo emprego era de meio horário, pude terminar pela primeira vez um conto, "A dádiva", que inscrevi num concurso para os alunos da Faculdade de Direito, em 1966, tirando o segundo lugar e recebendo elogios da comissão julgadora, formada por Murilo Rubião, Affonso Ávila e Ildeu Brandão. Fiquei sabendo do resultado no lotação São Pedro, pois morava nesse bairro. Sentando-se ao meu lado, Humberto Werneck, meu vizinho, amigo e primo em segundo grau de Mariza, me deu parabéns. "Por quê?", perguntei, e ele me deu a notícia do prêmio. "E quem tirou o primeiro lugar?", eu quis saber. "Eu", Humberto disse, e riu. Aquele concurso foi o estopim para que eu continuasse a escrever. Apresentado por Henry Corrêa de Araújo a Luis Gonzaga Vieira, que era um dos diretores da revista *Estória*, passei a publicar nessa revista e logo depois também no *Suplemento Literário de Minas Gerais*, dirigido por Murilo Rubião.

Pode-se dizer, então, que minha vida corria bem, embora eu não me adaptasse à vida de homem casado, chegando muitas vezes em casa tarde da noite, depois de ficar bebendo com amigos em bares. Viajando para o Rio sempre que podia, me encontrava com Luiz Adolfo, que continuava a exercer o jornalismo lá. Já Getúlio voltara a Belo Horizonte, para terminar o curso de direito.

Certa manhã de sábado, em 1966, ano em que me formei, marquei encontro com Getúlio num bar do segundo andar do Edifício Maletta. Estavam presentes também o nosso amigo Milton Gontijo, que acabara de fazer um curta-metragem inteiramente subversivo, com o título de *Esparta*; Aurora, uma linda mulher loura e irmã de Luiz Adolfo, e o ex-bailarino Ricardo Teixeira de Salles e, com ele, embora um homem casado, uma prostituta cujo nome não guardei.

Bebemos muito e tivemos um bom papo, apesar de uma certa tensão no ar, pois tanto Getúlio como Ricardo — que um amigo nosso, Carlucho, dizia que era "o médico e o monstro", dependendo de estar são ou bêbado — davam em cima de Aurora, ostensiva e agressivamente, querendo tocar nela, que não queria nada com eles, a ponto de o dono do bar, Danilo, amigo de Aurora, perguntar-lhe se ela precisava de ajuda. Ela disse que não e logo estava de mãos dadas comigo.

Ficamos no bar até umas nove horas da noite, quando alguém propôs uma ida a Ouro Preto, pois Getúlio tinha acabado de tirar carteira de motorista e estava com o carro de sua irmã, Hilda. Aurora disse que só iria se eu fosse, mas eu não quis, porque estava na rua desde cedo e Mariza devia estar preocupada. Além disso, o carro era pequeno e alguém teria de sobrar, com toda a certeza a jovem prostituta. E eu me preocupava com o fato de Aurora poder vir a sofrer novos assédios. Mas Getúlio não bebia.

Como o bairro São Pedro, onde eu morava, era muito próximo da BR-3, estrada que tinha de se tomar para ir a Ouro Preto, Getúlio se prontificou a me deixar em casa.

Mas antes resolvemos tomar "uma última", no bar de um posto de gasolina no início da BR-3. Estávamos à mesa Getúlio, Ricardo, a prostituta, Milton Gontijo e eu. Insistiram os amigos para que eu os acompanhasse na pequena viagem de uma hora e meia. Recusei com firmeza, Getúlio me deixou em casa e expliquei-me a Mariza o melhor que pude.

No dia seguinte, domingo, lá pelas nove horas da manhã, tendo Mariza descido à área do prédio para que André pudesse brincar ao ar livre, a campainha do apartamento tocou e fui abrir a porta. Apresentou-se um homem com o nome de José Bento Teixeira de Salles, tio de Ricardo, e disse, a princípio titubeante, que houvera um acidente com o pessoal; que o carro rolara por um barranco, que Milton Gontijo fraturara uma perna, que Ricardo e uma moça que estava com ele haviam sofrido apenas escoriações, mas que o outro rapaz, Getúlio, falecera.

José Bento se foi e eu, sob grande impacto, desci até a área e fui dar a notícia a Mariza. De volta ao apartamento, tive um choro que mais parecia um soluço e depois telefonei para Eduardo Simbalista, aluno da Faculdade de Direito e jornalista amigo meu e de Getúlio. Nos encontramos e fomos à casa de Alberico de Souza Cruz, também da faculdade e jornalista, e fomos até a casa de Walter, irmão de Getúlio, para dar-lhe a notícia da tragédia, mas ele já sabia de tudo e mostrava-se conformado. Tentamos, eu e Simbalista, que Alberico nos levasse até Santa Luzia, cidade da família de Getúlio, próxima a Belo Horizonte, para o enterro, mas Alberico não quis, o que me trouxe até um certo alívio, por não ter de enfrentar o clima certamente muito fúnebre. Ao me deixar em casa, Alberico comentou sobre a "loucura" de Getúlio e que ele tinha "aquele" problema. Não cheguei a entender direito a que ele se referia e só tempos depois compreendi o que era.

Sobre a tal "loucura" de Getúlio, houvera um caso envolvendo ele e Alberico. Estavam eles no carro deste último, com uma turma, certa madrugada no centro de BH, e apostaram, não sei o quê, exatamente, que Getúlio não seria capaz de sair nu na rua. E não é que Getúlio saiu? Queria voltar rapidamente, é lógico, mas por alguns momentos mantiveram as portas do carro trancadas e Getúlio ficou batendo na lataria, desesperado. Até que, por fim, deixaram-no entrar. E Alberico, jornalista bastante gozador, chegou a publicar no jornal onde trabalhava, a edição mineira da *Última Hora*, uma pequena notícia com o título "O homem nu", sem dizer de quem se tratava, evidentemente, mas narrando o fato de um rapaz nu andando no centro de Belo Horizonte.

Na noite seguinte à do acidente, Mariza e eu fomos ao apartamento de Ricardo, que estava sóbrio e sereno, ao lado da mulher, Suzana, e do filho deles, Cristiano, mais ou menos da idade de André. Ricardo explicou-nos em detalhes o desastre: Getúlio não conseguira fazer uma curva e o carro despencara no barranco. Getúlio fora atirado para fora e batera a cabeça numa pedra. Naquela época não se usava cinto de segurança.

No jornal *Estado de Minas* saiu um pequeno obituário sobre Getúlio, com um retratinho dele três por quatro. Tinha vinte e cinco anos.

Henry Corrêa de Araújo era amigo de Aurora e me passou o endereço dela, que morava com uma amiga. Não tinham telefone. Eu sentia uma imensa vontade de vê-la e o meu pretexto era falar do acidente e da morte de Getúlio. Quando subi pelo elevador em seu prédio, meu coração batia forte, mais ainda quando toquei a campainha do apartamento. Mas atendeu a sua amiga, que disse que Aurora havia saído. Deixei então com ela o meu nome e telefone na Justiça do Trabalho.

Aurora não me telefonou e sim apareceu de surpresa na Junta de Conciliação e Julgamento em que eu trabalhava. Ela já sabia de tudo sobre a morte de Getúlio e, como ali não era um bom lugar para nos vermos, marcamos um encontro para a noite seguinte numa boate que ela frequentava, na praça Raul Soares.

Era uma quarta-feira e o meu pretexto em casa para sair de noite era que haveria um jogo de futebol no Mineirão. Chegando na boate, ela já me esperava sentada a uma mesa. O ambiente era bastante escuro e nos sentamos juntinhos. Só eu bebia e logo tive coragem de beijá-la.

Naquele mesmo dia, de manhã, a crônica de José Carlos Oliveira, no *Jornal do Brasil*, que recortei e levei para Aurora ler, era sobre Getúlio, que tinha trabalhado com o cronista na revista *Manchete*. Lembro-me de que Carlinhos Oliveira, como era conhecido, dizia na crônica que Getúlio tinha vinte e cinco anos, "amava os Beatles e os Rolling Stones" (conforme uma canção italiana da época, digo eu), queria ser escritor e morar em Paris, mas quis o destino que morresse numa das curvas da estrada de Ouro Preto.

Fiquei na boate até mais ou menos meia-noite e meia, dando um tempo para que já houvesse terminado o jogo e eu pudesse chegar em casa. Estava me apaixonando, quase à primeira vista, por Aurora, mas havia minha mulher e o filho pequeno. E não sairia ileso de um caso com ela.

Aurora, por seu turno, tinha um namorado em São Paulo, cidade aonde ia frequentemente, pois era uma cantora que tentava a sorte na *Jovem Guarda*, de Roberto e Erasmo Carlos. Curioso que, falando, era meio gaga, mas, cantando, o problema desaparecia.

Sobretudo Aurora era uma loura linda, atraente e muito "amável". Se tivéssemos nos tornado amantes, meu casamento iria por água abaixo. Isso ficou claro quando nos encontramos outra vez — outra quarta-feira, outro jogo noturno, a mesma escuridão da boate. Eu estava muito dividido, pois amava minha mulher e não cogitamos ir para um motel. E ela, no dia seguinte, iria para São Paulo, por sua carreira, seu namorado.

Em 1967, fui por um ano letivo estudar em Paris e já havia perdido completamente o rastro de Aurora. Depois de minha volta, no final de 1968, soube por Henry que Aurora estava num hospital, paralisada numa cama, por uma moléstia que os médicos não conseguiam diagnosticar, e veio então a morrer, ainda muito jovem. Henry, com uma irresponsabilidade típica sua, me disse que certa vez fora visitá-la e lhe disse que voltaria todos os dias para vê-la, mas nunca mais apareceu lá. Já eu, depois daqueles breves encontros e algum tempo já passado, não conseguia encontrar um bom motivo para visitá-la no hospital e até preferia ter uma memória dela exuberante. Ou possivelmente eu tenha sido apenas egoísta, covarde.

Quando eu estava em Paris, minha irmã mandou-me, junto com uma carta, uma crônica de José Carlos Oliveira, recortada do *Jornal do Brasil*. Nela, o cronista escrevera que, numa ida para uma palestra em Belo Horizonte, fora visitado durante a madrugada, em seu quarto de hotel, pelo fantasma do morto na estrada de Ouro Preto. E que este o saudara com sua voz grave e sua risada característica. Se tivesse podido ler a crônica, Getúlio teria dito: "Genial", outra expressão que usava muito. E com essa palavra se referia ao seu editor na *Manchete*, Justino Martins. E contara sobre Carlinhos que este, na redação da revista — pois também trabalhava lá —, passando por entre mesas de jornalistas que quebravam a cabeça para achar o título de uma matéria sobre a Mata Atlântica, pronunciou, displicentemente: "Verde que te quero verde", de um poema de Federico García Lorca.

Voltando atrás, pouco tempo depois da morte de Getúlio, fui à casa de Luiz Adolfo e sua mulher, Telma, no Rio, e LA me mostrou uma carta de Getúlio para ele, em que o nosso amigo comum narrava, com muito cinismo, suas visitas à casa de uma namorada, e depois que esta se recolhia, ele e um irmão, ou primo, sei lá, da garota "se divertiam". Foi então que soube com certeza aquilo que talvez evitara reconhecer, pelo menos um lado homossexual de Getúlio. E o certo é que, com muita maldade, certa noite na Cantina do Lucas, no Edifício Arcângelo Maletta, Ricardo Teixeira de Salles — este sem freios sexuais de qualquer espécie — disse para mim: "Aquela amizade sua com Getúlio era homossexual".

História de um pensamento

Um despertar tão tênue, no meio da noite, que emite um pensamento que é como se fosse de um personagem de sonho, alma do outro mundo, espectro desgarrado de sua morada. E quando a esta quer retornar, a encontra fechada. Então paira no quarto em que está o corpo — seu corpo? —, mas logo escapa para descer flutuando aos fundos do prédio, onde se encontra no meio do lixo, encrespado diante de uma ratazana, o gato negro que se crispa ainda mais e solta o miado terrífico, detectando o ente fantasmático que torna a flutuar, agora subindo, soprado pelo hálito do gato.

Por um instante, com o poder dos seres diáfanos, o pensamento se detém diante da janela de um quarto, onde se oferece à brisa da madrugada a moça nua adormecida, que, de repente, suspira fundo e se mexe na cama, inquieta e langorosa, talvez captando, com algum sentido misterioso do sono, a presença do intruso imaterial que a acaricia na forma dos sonhos, quando não se têm limites, a não ser os fugidios dos próprios sonhos.

Alcançando esses últimos limites, o pensamento faz-se ao

largo para fragmentar-se em estilhaços do tamanho de poeira, que se espalham nas trevas como meteoritos ínfimos, incendiando-se como minúsculos fogos de artifício.

Uma peça sem nome

O PRIMEIRO ATO

São quatro homens dentro de uma sala de apartamento de uma mulher, que está ausente. Um deles tinha a chave, por isso entraram. Ao fundo, o quarto dela, com a porta semiaberta, deixando entrever parte de uma cama, penteadeira, armário com roupas femininas. Sobre a cama, uma boneca grande, desalinhada, da qual se vê apenas parte. O conjunto de sala e quarto é na verdade um palco.

Um dos homens é gordo, voraz e concupiscente. Tem um tique nervoso que se manifesta quando escuta ou menciona alguma coisa relacionada a mulheres. Certa vez, fez uma viagem à Europa.

O segundo homem é magro, aproximando-se dos cinquenta anos, bonito, sóbrio, discretamente angustiado, entediado, como se não estivesse nem aí para os outros.

Estão sentados próximos um do outro, em primeiro plano, porém uma diferença os separa. No texto são indicados, respectivamente, como GORDO *(ou* G*) e* CAVALHEIRO *(ou* C*).*

Num canto da sala, uma mesa redonda coberta com pano verde, à qual está sentado outro homem, vestido com a elegância bizarra de um jogador profissional ou gigolô de luxo, algo como uma camisa com listras largas e uma gravata cor de vinho, sem paletó de terno. Ele brinca com um baralho, prestando uma atenção disfarçada na conversa dos outros. No texto é indicado como JOGADOR *(ou* J*).*

O quarto homem é referido como RAPAZ *(ou* R*). Usa um paletó comprido e surrado sobre calça de brim e sapatos de lona, sem meias. Folheia distraidamente um livro perto de uma estante baixa, sobre a qual há um CD player. A aparência de R é frágil e quebradiça como a de um jovem personagem de filme da Nouvelle Vague.*

A cada noite que a cortina se abre, eles se põem a dizer suas falas, às vezes penosamente e com espaços de silêncio entre elas. Também no meio dessas falas há pausas, maiores ou menores, marcadas no texto com reticências mais ou menos longas, enfatizando pensamentos, palavras, frases.

É um espetáculo monótono, está prestes a sair de cartaz por falta de público. Os próprios atores não parecem dar muita importância a esse reduzido público. É como se eles, de fato, esperassem por ela, a mulher.

Às vezes, ruídos externos se infiltram na sala e o CD player pode ser acionado, brevemente, por algum dos atores-personagens.

Na parede, destacado, um relógio com seu ponteiro de segundos a movimentar-se ininterruptamente. São nove e meia da noite.

RAPAZ (*depois de um constrangido silêncio*) Ela disse às nove horas.

CAVALHEIRO (*refletindo consigo mesmo*) O trânsito, talvez..... Na saída do túnel havia um engarrafamento.

GORDO (*tique nervoso*) Ela é uma mulher............ uma mulher ao volante.

CAVALHEIRO Mesmo no túnel os carros rodavam muito lentamente e, de vez em quando, paravam de todo. Pensei que poderia ser algum carro enguiçado. Ou uma batida.

GORDO (*pensativo*) Uma vez eu vi um filme........... Um homem morria envenenado por gases num engarrafamento dentro de um túnel.

CAVALHEIRO Não, não era uma batida, era um atropelamento... à margem da Lagoa. A vítima estava coberta por um leve encerado e havia velas acesas......... Não, pensando bem, as velas não estavam acesas. Toda vez que alguém as acendia, o vento que soprava da Lagoa tornava a apagá-las.

GORDO Era um filme muito chato.

CAVALHEIRO O vento também levantava as pontas do encerado, descobrindo as pernas da vítima.

JOGADOR Nesses casos eles costumam usar pedras... ou embrulhar o...

CAVALHEIRO (*aparentando desinteresse*) Quando meu carro chegou perto, pude perceber que não eram pernas masculinas.

GORDO (*tique nervoso*) Uma mulher, então!

CAVALHEIRO Eram pernas jovens, bonitas, cobertas por meias semitransparentes, logo abaixo de um vestido azul... elegante.

RAPAZ (*tendo se aproximado do quarto e fazendo um gesto vago, discreto, para a boneca na cama*) Por um instante me passou pela cabeça que.....

CAVALHEIRO A cena era sob a luz de um poste, com mariposas voando em torno da lâmpada. No chão um jornal semiaberto. Nele havia a fotografia de outra mulher, morta pelo amante... Era o que estava escrito... Um pouco adiante, no asfalto, havia um sapato. Um único sapato.

GORDO No jornal ou na vida real?

JOGADOR (*pela primeira vez demonstrando um interesse manifesto*) Na vida real, claro, é só perceber a construção da coisa.

RAPAZ Uma vez ela disse que as coisas só eram reais no cinema.

GORDO (*reflexivo*) Um só sapato. Onde é que estaria o outro?

CAVALHEIRO Atrás deles, o sapato e o corpo, havia um carro branco, parado. E mais atrás uma radiopatrulha........... Era um sapato de salto alto.

GORDO Imagina a loucura. Atravessar a pista da Lagoa de salto alto.

JOGADOR (*refletindo consigo mesmo*) Uma mulher dessas, bonita, elegante, sem carro, é estranho.

GORDO (*orgulhosamente, querendo mostrar-se culto*) Em Londres há faixas de pedestres pintadas nas ruas, sem nenhum sinal luminoso — e todos os motoristas as respeitam. Os londrinos as chamam de zebras. Aqui no Rio também pintaram essas faixas, mas os motoristas não as respeitam.

JOGADOR (*continuando a refletir*) Talvez ela não gostasse de dirigir e tenha vindo de táxi. O retorno estava longe e ela tinha pressa, então pediu ao motorista que a deixasse ali mesmo, à margem da Lagoa.... (*manifestamente para os outros*) Talvez fosse encontrar alguém num edifício da Epitácio Pessoa.

GORDO (*inquieto*) Um homem, você acha?

JOGADOR É uma boa probabilidade. Uma probabilidade de cinquenta por cento.

GORDO (*ansiosamente*) É, e talvez alguém a tenha assustado. Um assaltante, quem sabe. Ali é perigoso. Então ela (*tique nervoso*) cruzou a pista repentinamente.

RAPAZ (*preocupado*) Quando você diz “ela”, por acaso pode estar se referindo a *ela*?

GORDO Não, talvez..... talvez uma garota de programa só. Poderia ir encontrar-se com um cliente.

RAPAZ Daí o vestido azul. O vestido elegante.

GORDO (*tique nervoso*) Uma garota de luxo. Ou até um travesti.

JOGADOR É outra hipótese.

GORDO O travesti?

JOGADOR (*imitando o tique nervoso de* G) A garota de luxo. Com aquelas pernas.

CAVALHEIRO Dentro do carro branco havia outra mulher. Ela estava muito nervosa e os policiais a tratavam com delicadeza.

GORDO A atropeladora, sem dúvida. (*tique nervoso*) Estranho, uma mulher atropelando outra mulher. Essa também era bonita, como a outra?

CAVALHEIRO (*como se reparasse em* G *pela primeira vez*) O rosto da outra estava encoberto pelo encerado. Mas essa do carro era bonita, sem dúvida. E elegante como a atropelada. Pois desta eu vi parte do vestido, as meias e o sapato de salto alto. A do carro usava também um colar. Refletia a luminosidade da luz do poste.

GORDO (*tique nervoso*) A mulher?

CAVALHEIRO O colar... ou ambos.

GORDO (*sonhador, acariciando o próprio pescoço*) Um colar de pérolas num pescoço delicado..... É uma coisa que eu gosto.

RAPAZ Curioso, as palavras. Por exemplo: pescoço. Se você repete uma, duas, três vezes — pescoço... pescoço... pescoço —, perde o significado, fica estranho. (*Reflexivo e, depois, num rompante*) *Ela* tem um colar de pérolas?

GORDO Com isso você quer dizer o quê?

RAPAZ (*com um gesto vago e amplo*) Sei lá... tudo pode ser.

GORDO A atropeladora?

JOGADOR (*levemente irônico*) Pela descrição das pernas e do vestido de uma..., e do rosto da outra, qualquer das duas poderia ser ela. A atropelada ou a atropeladora. *Ela* é uma mulher bonita... e elegante.

GORDO (*tocando novamente o pescoço*) E o colar de pérolas?

JOGADOR O rosto da morta estava coberto por um encerado. Por baixo dele podia haver um colar... Um colar de pérolas.

RAPAZ (*nervoso*) Se ela tinha um compromisso aqui, por que estaria na Lagoa?

JOGADOR É uma boa pergunta.

Todos se quedam pensativos.

GORDO (*levantando-se subitamente mas com dificuldade, por causa do seu peso*) Escutem, ela tem um vestido azul?

RAPAZ (*sonhadoramente, enquanto G se locomove penosamente em direção ao quarto dela*) Já vi ela de azul... em algum lugar... certa vez... Ah, já sei, era num parque... em Paris... Quer dizer, talvez não fosse bem em Paris, mas ela disse que gostava de imaginar que era em Paris.

GORDO (*enlevadamente, antes de entrar no quarto*) Paris, também já fui.

RAPAZ Nós caminhávamos de mãos dadas, pisando as folhas secas. Era o princípio do outono, o vento soprava de leve, mas o bastante para que as folhas amarelas, ou avermelhadas, se despregassem das árvores..... As folhas faziam uma bela composição com o seu vestido azul. E ela disse que era como se estivéssemos num filme.

JOGADOR (*levemente irônico*) Havia fundo musical?

RAPAZ (*não percebendo a ironia*) Sim... era como se houvesse. Michel Legrand... podia ser. E não havia ninguém ao redor de nós, como num sonho... ou num filme. Foi quando ela disse que as coisas só eram reais no cinema. Acho que foi. O cinema é a única forma de ver a vida e vivê-la. Pois na vida real é tudo muito rápido e você está envolvido, a gente não pode viver o que a gente vive... O cinema é a única forma de aprisionar a vida no tempo.

JOGADOR (*provocativo*) E as fotografias, não? E as palavras, as palavras escritas?

RAPAZ As fotografias estão mortas, não se movimentam. Foi ela quem disse, acho que sim. E com as palavras você é obrigado a imaginar as cenas.

GORDO (*aparecendo na porta do quarto, segurando um vestido azul com as duas mãos contra o corpo*) Vejam, encontrei o vestido azul! Ela não saiu com ele, portanto.

Todos se quedam pensativos, por alguns instantes, diante da cena bizarra composta por G com o vestido azul.

RAPAZ Vêm cá, ela costuma dirigir algum carro branco?

JOGADOR (*com uma expressão enigmática, entre o sério e o irônico*) Um carro claro, opaco, sim, já vi. Talvez meio cinza, algo assim.

RAPAZ Isso faz sentido. Um carro claro, opaco... e o colar de pérolas. É típico dela. E isso eliminaria a pior hipótese. Se ela tem um carro claro, não haveria por que descer de um táxi na Lagoa..... A menos que...

JOGADOR ... que o carro houvesse enguiçado.

RAPAZ Sim, claro. Mas ela deveria pegar um táxi e dirigir-se imediatamente para cá. E não atravessar a pista como uma louca.

CAVALHEIRO (*sempre fria e pausadamente*) Na pista do outro lado também havia um engarrafamento. Os carros passavam embandeirados, com torcedores dirigindo-se ruidosamente ao Maracanã, pelo túnel. Esse era o motivo do engarrafamento do lado de lá, o jogo. Havia também ônibus, desses que fazem a ligação da Zona Sul com a Zona Norte.

JOGADOR Se ela... fosse lá de quem fosse aquele corpo... houvesse atingido o canteiro central, teria se salvado com toda a certeza. Pois aí seria fácil atravessar a outra pista com o engarrafamento.

RAPAZ (*preocupado*) Mas os torcedores iriam mexer com ela, grosseiramente. Vocês sabem como são eles.

GORDO (*tique nervoso, mostrando o vestido*) Elas gostam disso........ Atravessar com um vestidinho desses uma zona perigosa cheia de homens. Fazem de propósito.

JOGADOR (*friamente*) As emoções... as emoções......... Se os senhores quiserem, podemos começar sem ela.

GORDO (*deixando o vestido de lado e sentando-se*) Começar o quê, exatamente?

JOGADOR Alguma espécie de jogo.

RAPAZ Sem ela não teria graça.

JOGADOR (*apontando para* C) Você.

CAVALHEIRO (*surpreso, desentendido, absorto em seus pensamentos*) Eu?..... Eu já havia ultrapassado a zona do acidente e estava tudo normal. Havia um casal com uniforme esportivo correndo à margem da Lagoa e o trânsito fluía livremente. As luzes do Hipódromo estavam acesas. Formavam raias luminosas nas águas da Lagoa.

JOGADOR (*pela primeira vez lírico e sonhador*) Isso é bonito........ Hoje é sexta-feira........ Tem corrida noturna. (*Excitado, para* C) Você não passou pelo Hipódromo, passou?

GORDO Esse não seria o caminho mais curto para ele.

JOGADOR Claro que não... em tese. Mas se ele houvesse contornado a Lagoa pelo outro lado, teria evitado o engarrafamento. Por pura sorte... ou mesmo não. Logo ao sair do túnel, percebendo o engarrafamento, ele poderia ter dado um golpe de direção, à direita. Rodaria um pouco mais, porém mais depressa. (*Sonhador*) E passaria pelos fundos do Hipódromo.

GORDO Nunca se sabe. Nunca se sabe, os aborrecimentos. Poderia ter acontecido algo pior.

RAPAZ Não gosto de corridas de cavalos. Só de outro tipo de jogo.

JOGADOR Se não fosse este compromisso aqui, eu teria ido.

GORDO (*jactancioso, animando-se repentinamente*) Uma vez ganhei uma pequena fortuna num páreo arrumado. Foi um motorista de táxi quem me deu a informação. (*Assumindo um tom grave e solene demais para o assunto irrelevante*) Naquele dia meu carro estava na oficina, vejam só o destino. Estava com um problema na caixa de marchas. O motorista de táxi me disse que prestava pequenos serviços para um bookmaker...

Entediados, R e C se levantam. C se dirige até a estante e folheia o livro deixado por R. R chega até a janela que se situa, imaginariamente, diante do público. Apenas J se interessa pelo papo de G.

GORDO (*prosseguindo*) Às vezes ele tinha de fazer corridas velozes para o bookmaker descarregar apostas no Hipódromo. Naquele tempo não havia agências em bairros da cidade e muito menos se podia apostar pela internet, que nem existia. O bookmaker confiava nele porque ele era capaz de fazer o trajeto em poucos minutos. Então eu disse a ele que, comigo, podia andar mais devagar. Sabe por quê? Porque eu tive medo de morrer ou me machucar antes de apostar naquele cavalo. Meu lema é nunca perder um bom negócio. (*Pensativo*) O mais estranho é que ele me deu a informação sem pedir nada em troca. Nunca tinha me visto na vida e provavelmente não iria me ver nunca mais. Não consigo entender. O que ele tinha a ganhar com isso?

JOGADOR (*algo triunfante*) Sabe o quê?

GORDO (*desconfiado*) O quê?

JOGADOR Glória!..... Os turfistas adoram vangloriar-se. Esse é o seu ponto fraco. (*Vangloriando-se discretamente*) Mas um verdadeiro profissional teria se controlado. O certo seria ele, tendo uma barbada, indicar a você o cavalo errado. (*Abertamente jactancioso*) Para aumentar o rateio do cavalo dele.

GORDO Um cavalheiro não faria isso.

JOGADOR Claro, um cavalheiro... Um cavalheiro também não aposta em páreos roubados.

G, ofendido, tenta erguer-se, mas não consegue. Nesse momento, o som altíssimo de uma música estridente, vinda do CD *player, acionado discretamente por C, preenche a sala. A duração da música é de pouquíssimos segundos, criando uma impressão de irrealidade, de que aquilo não aconteceu. Logo a seguir, ouve-se a voz monótona de C, que desligou rapidamente o aparelho, enquanto*

R olha fixamente pela janela (o público), como se visualizasse a descrição de C.

CAVALHEIRO Na esquina da Maria Quitéria com Visconde de Pirajá o sinal estava fechado e fui envolvido por eles. Queriam vender-me balas, biscoitos, flanelas, chicletes, tudo... Fechei então o vidro. Um deles era uma garotinha. Não devia ter mais do que doze anos e fazia-me gestos obscenos. O vestido dela tinha um decote, dando a impressão de que ela teria seios. Eu me espichei para ver... e ela não tinha.

GORDO (*já calmo, mas com o tique nervoso*) Doze anos. Que coisa.

CAVALHEIRO Uma mulher, no carro ao lado, fechou nervosamente o vidro. Foi nesse momento que se ouviu o estampido..... e ela caiu. Ela caiu com o rosto sobre o volante. E a buzina do carro se pôs a soar incessantemente..................

A buzina soa por algum tempo e depois silencia.

CAVALHEIRO Não, pensando bem, isso foi num filme.

GORDO A mulher que fechou o vidro?

JOGADOR Não, claro, a que caiu sobre o volante. É só perceber a construção da coisa.

RAPAZ (*voltando-se para os outros*) Ela disse que as coisas só são reais no cinema.

GORDO Você já disse isso.

RAPAZ (*voltando ao centro da sala e sendo substituído por C à janela*) No cinema, como nos sonhos, você não precisa fazer nada. E todas aquelas coisas acontecendo. Suponho que, com a alma, deva ser assim.

GORDO Você acredita em alma?

RAPAZ Não.... quero dizer.... não sei. Mas se a alma existir deve captar as coisas assim, como no cinema. Foi o que ela disse, acho. O corpo é muito incômodo.

G se mexe incomodado, na poltrona, enquanto C continua à janela.

RAPAZ (*prosseguindo, sonhador*) Nós estávamos no terraço de um apartamento e ela se debruçava na grade, nua, diante de uma cidade imensa. Nova York, acho. Ou talvez não, mas o que importa? Todas as cidades grandes são iguais durante a noite... ao longe.

GORDO (*impaciente*) E aí, alguém se jogou, como no cinema?

RAPAZ (*não lhe prestando atenção*) As luzes da cidade e os anúncios luminosos davam ao corpo dela tonalidades azuis, vermelhas, amarelas, prateadas. Ela disse que eu nunca devia tocá-la para não estragar a cena.

GORDO Pois comigo ela sempre diz: me aperta mais, me beija toda.

JOGADOR Estarão falando da mesma mulher? Vocês mentem muito.

RAPAZ (*para* G) Não sei como ela pode... com alguém... como você.

GORDO (*satisfeito*) Ela disse que com um animal, como eu, era bom porque não havia a menor possibilidade de... (*reparando em C, à janela*) envolvimento. (*Para* C) Está vendo alguém?

RAPAZ Quem poderia ser? Ela?

GORDO (*tique nervoso*) Ela pode estar chegando.

RAPAZ Ele não parece ver nada... ou ninguém.

JOGADOR Talvez ela já tenha guardado o carro na garagem... um carro claro... (*controladamente irônico*) talvez respingado de sangue.

RAPAZ Parece olhar para dentro dele mesmo ou para o mar, ao longe..... como numa tela... de cinema.

Pausa de silêncio.

CAVALHEIRO (*olhando através do público e não se dirigindo a ninguém*) Está passando um navio, próximo a um farol. A luz do farol gira e por isso parece apagar-se, intermitentemente..... Todas as luzes do navio estão acesas. Ele está partindo. Talvez haja uma festa a bordo..... Uma orquestra pode estar tocando, como no *Titanic*. Talvez façam soar o apito, uma ou outra vez. Daqui, certamente, não poderemos ouvir. A não ser... imaginariamente.

GORDO (*com a mão em concha num ouvido*) A orquestra? Ou o apito?

Pausa enquanto se escuta irreal e longinquamente uma orquestra tocando a canção "Blue Moon".

RAPAZ (*enlevadamente*) É tudo muito longe.

CAVALHEIRO Pessoas devem estar se debruçando na amurada. Alguém pode estar olhando diretamente para cá.

GORDO (*tique nervoso*) Uma mulher, quem sabe?

JOGADOR Você é muito romântico.

CAVALHEIRO Talvez procure imaginar o que se passa aqui, num desses apartamentos da praia. O apartamento em que estamos. (*Pausa, enquanto se escuta baixinho "Blue Moon"*) Enquanto nós, aqui, imaginamos o que ela pode estar... imaginando........ O navio se afasta sempre.... Às vezes, quando o trânsito silencia lá embaixo, dá até para ouvir... o rumor... das ondas. Ouçam...

O som da orquestra preenche a sala, a porta se abre e ELA entra. ELA também pode chegar de algum outro ponto do palco ou do teatro. Roda o corpo, esvoaçante, e depois se deixa ficar no meio da sala, belamente vestida, linda, enquanto os olhares dos homens — menos o de C, que parece vê-la através do público — se fixam nela.

Cortina.

O SEGUNDO ATO

O mesmo ambiente, mas com os seus elementos dispostos para serem vistos de outra perspectiva. O quarto dela deve estar mais visível e devassado, enquanto a mesa de jogo ocupa o primeiro plano.

O descerrar-se das cortinas surpreende os jogadores, na sala enfumaçada, já em pleno jogo. A aparência deles denuncia um princípio de cansaço.

O relógio marca dez para a meia-noite.

É um jogo de regras às vezes estranhas ou desconhecidas. As cenas corresponderão a blocos de jogadas, flashes do jogo, com intervalos de escuridão (ou outros recursos de luz) entre elas. Os ponteiros do relógio indicarão o avanço do tempo na noite.

J funciona como carteador e comentarista do jogo. Quando neste último papel, seus comentários são ouvidos pelo público mas não pelos participantes do jogo.

Sobre a mesa, fichas, cartas, dólares, dados e cartões. Esses cartões representam marcos turísticos em todo o mundo.

R joga cautelosamente, porque tem pouco dinheiro. ELA, *displicente e coquetemente mal. G denota uma avidez sensual por dinheiro. C mantém uma postura entediada. Tais características individuais podem ser contrariadas em alguns momentos.*

Jogada 1

JOGADOR *acaba de distribuir cinco cartas para cada um, numa rodada de pôquer. Cada um dos quatro participantes olha as cartas à sua moda, seu estilo: C, friamente; G e R, concentradamente, aos poucos, "chorando".* ELA, *de uma só vez. Desleixadamente. G está ganhando e, à sua frente, vê-se um monte de fichas.*

RAPAZ (*depositando suas cartas viradas contra a mesa*) Eu passo.

ELA (*pedindo*) Três cartas.

CAVALHEIRO (*fazendo um sinal com os dedos*) Duas.

GORDO (*tentando controlar seu entusiasmo*) Uma carta!

ELA (*depositando fichas, displicentemente, em cima da mesa*) Dez dólares.

GORDO (*depois de "chorar" sua última carta*) Seus dez e mais vinte.

CAVALHEIRO (*mantendo fechadas contra a mesa, sem tê-las visto, as duas cartas que recebeu*) Seus vinte e mais quarenta.

ELA, depois de verificar que não tem muitas fichas, atira irritadamente suas cartas contra a mesa. R tenta consolá-la, afagando-lhe a mão. ELA retira sua mão e acende um cigarro.

GORDO (*ligeiramente inseguro*) Quarenta e mais oitenta.

CAVALHEIRO (*sem hesitação, mas com a frieza de sempre*) Seus oitenta e mais cento e sessenta.

GORDO (*depois de hesitar, manuseando as fichas*) Eu pago pra ver.

Todos concentram seus olhares em C, que mostra os três ases que já tinha. Depois vira uma das cartas fechadas: oito, e outra... também oito.

CAVALHEIRO Full hand de ás.

GORDO (*entusiasticamente, mostrando as cartas e puxando as fichas do meio da mesa*) Quatro reis! (*rindo com sua risada de gordo, sem que ninguém o acompanhe*) Four de reis. O rei da Espanha, o do Marrocos, o da Suécia e o da França. O último rei da França.

G aproxima seu rosto do dela, para cochichar qualquer coisa. ELA simula estar interessada.

GORDO (*quase inaudível*) Eu já tinha os quatro reis. Pedi uma carta apenas para despistar.

JOGADOR (*apenas para o público, enquanto recolhe as cartas para embaralhá-las*) Ele acaba de dizer a ela que já tinha os quatro reis e pediu uma carta apenas para despistar. Ele acaba de cometer o erro mais primário de certos jogadores: jactar-se. E no entanto ganha. Mas agora todos conhecem o seu estilo, se se pode chamar isso de um estilo.

GORDO (*com um entusiasmo infantil*) Eu compro. Compro o Banco da Inglaterra, o rio Tâmisa, o Empire State Building e a Wall Street. Eu compro.

JOGADOR (*apenas para o público e passando a G cartões que reproduzem as localidades citadas*) Sim, não deixa de ser um estilo... mas faltou-lhe audácia ao pagar para ver. Com o jogo que tinha, podia apostar mais e mais. Tomando uma pequena fortuna de C. Mas talvez este lhe tenha inspirado um excessivo respeito ao apostar no escuro.

ELA (*beliscando uma das bochechas de G*) Ele está cada vez mais gordo.

G tenta beijar a mão que lhe belisca a bochecha, mas não consegue.

RAPAZ (*impaciente, enciumado, enquanto J já distribui novas cartas*) Vamos jogar. Por favor, vamos jogar.

Cada um examina suas cartas dentro do seu estilo.

Rapaz (*audaciosamente, para impressionar a ELA*) Eu abro com vinte dólares.

Corte de luz.

Jogada 2

Meia-noite e vinte. ELA está sentada numa pose displicentemente provocante. G continua ganhando e R passa a ele um cartão representando o Arco do Triunfo.

RAPAZ Toma, o Arco do Triunfo. Por baixo dele desfilaram Hitler e De Gaulle. Agora você tem a trinca completa. A Torre Eiffel, o Palácio de Versailles e o Arco do Triunfo. É incrível.

G não consegue disfarçar o orgulho, enquanto J distribui novas cartas.

ELA (*com um sorriso intencionalmente idiota*) Feliz no jogo, infeliz no...

GORDO (*preocupado, com tique nervoso*) Você acha? Você acha?

CAVALHEIRO (*apostando, depois de pedir, receber e examinar três cartas*) Cinquenta dólares.

JOGADOR (*apenas para os espectadores*) Ele blefa. Blefa para sentir alguma emoção. Tem apenas um par de setes, mas G teme que ele possa ter feito uma trinca ou até mais do que isso. G tem dois pares. Dois pares bonitos: dois reis e duas damas. Mas, como todo homem acumulativo, G é, digamos assim, prudente.

GORDO (*levantando-se e depositando suas cartas contra a mesa*) Com licença, senhores... e senhora, que eu vou ao toalete.

ELA (*enquanto ele se dirige ao banheiro*) Então eu pago.

RAPAZ (*depois de muita hesitação, depositando quase todas as suas fichas na mesa*) Eu também pago para ver.

C, ciente de que não tem a menor chance, deposita, fleumaticamente, suas cartas, sem mostrá-las, sobre a mesa.

ELA (*entusiasmadamente, atabalhoadamente, mostrando o seu jogo, com a certeza de ganhar a mão*) Dois pares de ás. Dois ases e dois seis.

RAPAZ (*mostrando, por sua vez, seu jogo*) Três valetes, uma dama e um nove. Trinca de valetes (*recolhendo as fichas alegremente*). Como nós, aqui, neste jogo. Às vezes desconfio que também somos meras cartas num jogo.

ELA (*irritada, pegando um cigarro*) Se há uma coisa que eu detesto é...

Suas palavras são abafadas pelo som da descarga do banheiro acionada por G.

ELA (*mais irritada, procurando fósforos num bolso*) Se há uma coisa que eu detesto é filosofia barata...

GORDO (*voltando para a mesa*) Desculpem-me.

ELA (*enquanto C acende-lhe o cigarro com um isqueiro dourado, talvez de ouro*) Filosofia barata... humildade, autocomiseração.

Congelam-se R e G.

JOGADOR (*apontando para C, que agora acende seu próprio cigarro e parece hipnotizado pela chama*) Ele acaba de perder mais uma vez. Talvez ele quisesse mesmo perder. Perder muito para recuperar o gosto pelas coisas. Talvez ele gostaria de ser, pelo menos por algum tempo, tão pobre como aquela garotinha na rua. Talvez ele pense nela agora.

A luz vai esmaecendo, todos estão congelados, menos J.

JOGADOR Mesmo quando ele faz amor, o faz desinteressadamente, sem sentir nada parecido com uma emoção. Um ato tão prosaico quanto fazer xixi ou dormir.......... Não, dormir, não..... Porque dormindo, ele sonha. Eis então algo que ele gosta de fazer: dormir... e sonhar. Só que ele tem insônia. Por isso ele joga... e blefa.

Corte de luz. A última luminosidade a desaparecer pode ser a da chama do isqueiro de C, que ele acendeu outra vez apenas para obter esse efeito.

Jogada 3

Volta a luz, muito brilhante. Descongelam-se os participantes do jogo.

ELA (*tentando alcançar fichas próximas a J*) Mais fichas, preciso de fichas. Quinhentos dólares em fichas.

JOGADOR Por favor, o dinheiro. Primeiro o dinheiro.

ELA Ora, está no quarto, depois eu pego. O talão de cheques. Quem me empresta agora? Quinhentos dólares em fichas.

RAPAZ Se fosse menos, talvez. (*Tentando fazer humor, desajeitadamente*) Minha situação financeira é medíocre.

ELA (irritada) Sim, é medíocre.

JOGADOR É contra as regras. Se não respeitarmos as regras...

GORDO Eu lhe emprestaria, se não fosse um jogo. É um problema moral, uma questão de princípios... Depois do jogo, eu lhe daria o dinheiro (*tique nervoso*)... por outra coisa.

ELA o esbofeteia, sem dramaticidade, raiva ou convicção. Ele acaricia suavemente a face que acabou de ser esbofeteada.

ELA (*levantando-se, indo até o centro da sala, abrindo a blusa, deixando ver os seios; sobre eles, o colar de pérolas*) O colar de pérolas, então... (*fixando o preço com ostensiva arbitrariedade*) vale quinhentos dólares.

GORDO (*tentando erguer-se, para encostar sua mão no colar e nos seios dela*) E se forem falsas? Preciso verificar se são falsas.

ELA (*empurrando-o de volta na cadeira*) Não, você não. (*Apontando, como que casualmente, para J*) Ele!

JOGADOR (*levantando-se e falando apenas para o público*) Eu tenho um faro para tudo que é falso.

CAVALHEIRO (*sonhadoramente*) Eu a cobriria de joias se ela não fosse tão orgulhosa. Uma vez dei-lhe um anel de diamantes, mas talvez ela já o tenha vendido (*apontando discretamente para J, que acaricia a mão dela*) ou dado para ele. Mas o que importa? Ela disse que, se aceitasse o anel, não poderia deitar-se comigo. Porque aí perderia a sua independência. Mas que, se eu preferisse, ela se deitaria comigo e recusaria o anel. Então eu disse que não: sem dar-lhe o presente eu me sentiria (*procurando a palavra certa*)... constrangido. Foi uma atitude muito digna dela. Acabou aceitando o anel e não nos deitamos, pelo menos naquela noite.

JOGADOR (*voltando-se para os participantes do jogo e também para o público*) É tudo falso.

CAVALHEIRO Naquela noite consegui excitar-me pensando nela. Pensei nela como uma jovem e casta princesa adormecida num palácio. Então eu me satisfiz sozinho... Depois dormi e sonhei. Sonhei que perambulava por uma cidade estranha e deserta. Eis um lugar que eu gostaria de visitar. Às vezes tento dormir, só para voltar ali, mas não consigo. Parecia que eu iria encontrar alguém, numa esquina qualquer. Alguém que eu poderia amar..... Mas, de repente, fui atacado por malfeitores, que me cravavam punhais no peito. E minha vida ia se esvaindo, aos poucos, numa espécie de fraqueza. Era uma sensação deliciosa.

JOGADOR (*chegando muito perto dela, segurando o colar e tornando a largá-lo com alguma brutalidade*) Vidro! Contas de vidro com falsos reflexos..... Não valem mais do que algumas fichas.

ELA (*amuada, aproximando-se do CD player*) Se não posso jogar, então vou dançar. (*Fazendo seu dedo em riste oscilar entre os quatro homens e terminando por fixá-lo em* G) Vou dançar com... Ele!

G tenta levantar-se, enquanto ELA faz soar um CD com uma canção romântica. J já voltou à mesa. A música é "Strangers in the Night", com Frank Sinatra.

GORDO (*desistindo*) Você é cruel.

ELA Então vou dançar com... (*hesitando até apontar para* R) ele! (*para* G...) Vou dançar com ele em seu lugar. E você fica aí... olhando.

RAPAZ (*levantando-se, satisfeito; para* J) Jogue essa rodada por mim, por favor.

JOGADOR (*sorridente, embaralhando as cartas, visivelmente trapaceando e falando só para o público*) É natural: ele dança com ela (*apontando para* G) por ele. (*Fazendo um gesto em direção a* R) E evidentemente trapaceio, em seu favor.

Enquanto J distribui as cartas, os olhares embevecidos de G e C se dividem entre as cartas e o par que dança.

JOGADOR (*ainda para o público e fazendo uma aposta que os outros dois aceitam distraidamente*) Não é que eu precise. Nem mesmo é para mim o dinheiro. Eu trapaceio porque gosto.

ELA (*próxima ao CD player, interrompendo a dança, a música e empurrando* R) Ah, já sei. Vou preparar um jantar para vocês. Quarenta dólares por cabeça. Aí eu voltarei ao jogo.

GORDO (*pagando para ver o jogo de J, este displicente*) Não há nada na geladeira. Eu a examinei antes. Só ovos e uma garrafa de champanhe no congelador.

ELA (*animadamente*) Pois muito bem. Servirei a vocês omeletes..... e champanhe!

JOGADOR (*depositando o seu jogo na mesa*) Full hand de dez. Três dez e dois ases. Poderei pagar com sobras o bufê.

RAPAZ (*no meio da sala*) Não se esqueça que você jogou por mim. Mas na verdade não tenho fome.

JOGADOR Pode deixar, eu não me esqueço.

ELA (*deliberadamente idiota, saindo para a cozinha*) Não se esqueça também. Feliz no jogo. Infeliz no amor. Mas como foi J quem jogou por você, talvez a máxima já não seja válida. (*ELA sai para a cozinha, rindo debochadamente*)

Corte de luz.

Jogada 4

Uma hora e quinze minutos. G acaba de perder vultosa quantia para C. Também R perde, porém menos.

GORDO Merda, antes não estava assim.

JOGADOR Sua linguagem piora consideravelmente, junto com a sua situação financeira. Talvez possamos deduzir daí algum princípio, geral ou particular. (*Referindo-se a C, mas falando apenas para o público*) Quanto a ele, começa a ganhar, embora não dê a mínima para isso. E talvez se possa deduzir daí outro princípio.

GORDO (*prestando atenção no cheiro que vem da cozinha*) Não sei, esse cheiro me perturba. Acho melhor prepararmos a mesa.

G começa a juntar meticulosamente suas fichas (não muitas), para metê-las no bolso, no que é acompanhado pelos outros. Durante as próximas falas arrumarão a mesa, menos R, que se mantém arredio. C adorna a mesa de forma solene.

JOGADOR (*ironicamente, para* G) Não sabia que você gostava tanto de omeletes. Você, um homem viajado, culto, certamente um gourmet.

GORDO (*tique nervoso*) Não são as omeletes, é ela. Saber que suas mãozinhas batem aqueles ovos. É perturbador.

RAPAZ (*ressentido*) E daí? Por que não poderia ela fazer omeletes? (*Mais ressentido*) Ela é igual a todas as outras.

GORDO (*subitamente fino e enlevado*) É uma moça esforçada. Me disse, um dia, que frequenta a faculdade noturna. Hoje não foi à aula, por causa do nosso jogo.

RAPAZ Não vai me dizer que acreditou nisso?

GORDO Por que não? Na Europa conheci várias mocinhas nessa situação. Prestam serviços domésticos, enquanto não terminam os seus estudos.

RAPAZ Aqui elas saem é para outras coisas.

GORDO (magoado) O fato de executar serviços domésticos não significa que ela não seja uma moça séria e educada e sensível.

RAPAZ Então muito bem. E o que ela estuda na faculdade noturna?

GORDO (*depois de pensar*) Não me lembro bem, há tantos cursos.

CAVALHEIRO Talvez devêssemos convidá-la para a mesa.

JOGADOR (*cinicamente*) Lembrem-se apenas de que essas liberdades costumam estragá-las.

Surge ela da cozinha, com um uniforme inocentemente sensual, de jovem empregada de luxo, deixando ver boa parte de suas pernas. Ela usa sapatos de salto alto e equilibra numa bandeja uma travessa com duas omeletes e um balde com gelo e uma garrafa de champanhe.

G abre a garrafa, a rolha espoca e uma parte da bebida se esparrama na mesa.

ELA (*candidamente sorridente*) Pronto. O jantar está pronto. (*Observando a mesa arrumada*) Assim vocês me estragam, com esses mimos.

CAVALHEIRO (*apressando-se a ajudá-la, no servir a mesa*) A senhorita me faz lembrar alguém… que eu não me lembro. Talvez de um sonho.

Corte de luz.

Jogada 5

O retorno da luz os encontra à mesa, num jantar cerimonioso. Porém, ELA, com o seu uniforme de doméstica, também senta-se entre eles. Comem, com extrema finura, pedaços de omelete, e bebem champanhe. Apenas R se mantém afastado da mesa, perto da estante. O discreto fundo musical é de música clássica, talvez Chopin.

CAVALHEIRO Perdoe-me a curiosidade, senhorita: disseram-me que frequenta a universidade. Qual é o objeto dos seus estudos?

ELA (*com um sorriso recatado*) Ah, não é nada de mais. A psicologia. Estou no curso noturno.

GORDO (*entusiasmado, para R*) Viu, eu não disse? (*Recompondo-se para ELA*) E a senhorita não tem medo de andar por aí tarde da noite?

ELA (*candidamente*) Ah, não… Pelo menos não tanto. Eles me olham, me seguem, às vezes me dizem coisas… mas de repente param. É como se algo os impedisse… (*timidamente sorridente*) Talvez porque eu seja fraca demais.

JOGADOR (*quase imperceptivelmente cínico*) A senhorita se importaria de nos mostrar alguma coisa de psicologia?

ELA Não sei se é esse o meu papel aqui, senhor.

CAVALHEIRO Por favor...

JOGADOR Sim, senhorita, nos dê esse prazer.

ELA (*levantando-se, como uma aluna aplicada numa sala de aula*) O FETICHISMO........... Segundo Freud, o fetiche é, para o homem, um substituto do pênis da mulher — mais precisamente o da sua mãe — que o menino acreditou um dia existir e cuja não existência ele reluta em aceitar por uma razão muito simples: se sua mãe havia sido castrada, a existência de seu próprio pênis correria perigo.

GORDO (*rindo nervosamente*) A senhorita não estaria exagerando?

JOGADOR O fundamento daquilo que se toma como uma verdade talvez esteja apenas na coerência do seu modelo.

CAVALHEIRO (*também traindo um certo nervosismo*) Psiu... (*para* ELA) Por favor, continue.

ELA (*sempre como uma aluna aplicada*) Inconscientemente para o menino, a mulher continuou a ter um pênis; só que esse pênis não podia mais ser o mesmo. Alguma coisa foi eleita como seu substituto e herdou o interesse que era dirigido ao seu predecessor, com uma intensidade até ampliada. Digamos que o horror à castração erigiu um monumento a si próprio, que pode ser uma peça de roupa, um pé, um sapato ou até algum objeto aparentemente mais inverossímil.

G se mostra muito incomodado e C, inadvertidamente, acende um cigarro, mesmo durante a refeição. J bebe champanhe, aparentemente tranquilo.

ELA (*depois de tomar um gole de champanhe*) Paralelamente, uma aversão ao verdadeiro órgão feminino permanece como um estigma indelével do sentimento recalcado. E o fetiche é um talismã, uma arma, contra a ameaça de castração. Ele também salva o nosso menino de tornar-se um homossexual, adornando a mulher com um emblema que a torna tolerável como objeto de desejo.

GORDO É o bastante, senhorita, estamos satisfeitos. Sente-se, porque sua omelete esfria.

C levanta-se para puxar a cadeira para ela.

RAPAZ (*desafiador, levantando-se do sofá onde sentara-se por um minuto, enquanto C permanece inclinado sobre a cadeira em que ela não chega a sentar-se*) Posso fazer-lhe uma perguntinha? E as mulheres, não têm o seu fetiche?

GORDO (*ansioso*) A omelete esfria e o champanhe esquenta, senhorita.

ELA (*sentando-se depressa*) Não chegamos a abordar esse ponto em aula, senhor.

GORDO (*introduzindo rapidamente outro assunto*) Isso tudo me faz lembrar Viena. Não sei do que mais gostei em Viena: se das salsichas, da valsa ou da cerveja.

R, com ar de desprezo, dá as costas para a conversa convencional que se desenvolve à mesa. Vai até a estante e põe-se a folhear novamente um livro. Pode pôr, também, no CD player uma valsa.

JOGADOR E das garotas, não?

GORDO Por quê? Lá também há belas garotas? (*Em seguida, como se surpreendido numa mancada, tique nervoso*) As garotas, claro, naturalmente... como não. As garotas de Viena.

CAVALHEIRO E em Praga, o senhor não esteve?

GORDO Por quê? Lá também há belas garotas?

O foco de luz diminui de intensidade, progressivamente, sobre a mesa. A conversa se torna menos audível. ELA começará a retirar pratos e talheres.

CAVALHEIRO (*retomando sua postura entediada, porém mais falante*) Como em todo lugar, mas queria me referir aos castelos e pontes, as igrejas, a cidade barroca, o museu judaico. A essa comunidade pertenceu o mais insigne de todos os habitantes de Praga. De todos os castelos da cidade, o que ele edificou, de palavras, é certamente o mais indestrutível.

RAPAZ (*com um livro na mão, sob foco de luz intenso, assumindo a postura de jovem revolucionário, dirigindo-se a ninguém, em particular, e não podendo ser ouvido pelos outros*) Não sei o que é mais desprezível nas conversas nos jantares burgueses: se a sua empáfia ou a sua irrelevância. No entanto, aproveitam-se disso para seduzir e corromper a pobre moça romântica, com insinuações de viagens e champanhe. Eis uma amostra exemplar da sociedade de classes. E o que posso fazer, senão queixar-me ou atirar-lhes bombas? (*Ostensivamente para o público*) Mas se eu apenas falar contra eles, o que receberei em troca?.......... Aplausos!..... Se eu tivesse então aqui uma bomba, a armaria debaixo da mesa. E depois me sentaria na plateia para vê-los explodir em pedaços junto com os seus cristais, os colares e... as omeletes dentro de suas tripas nojentas... O problema é que mesmo assim, provavelmente, ainda haveria aplausos.

Foco de luz diminui de intensidade sobre R *e se intensifica sobre a mesa, da qual* ELA *está ausente, tendo ido para a cozinha.*

JOGADOR (*verdadeiramente interessado, para* C) O senhor é de origem judaica, acertei?

CAVALHEIRO Por parte de pai, sim. Meu avô paterno era um judeu armênio que se casou com uma egípcia copta. O verdadeiro judeu errante. Quanto a meu pai, nasceu na Boêmia. Com a Segunda Guerra...

ELA (*voltando da cozinha. Para* C) E o senhor mesmo, não viaja mais?... Eu adoraria.

CAVALHEIRO (*blasé, mas traindo o desejo de impressioná-la*) Ora, está tudo visto. Só me interessaria ir a um lugar onde (*ênfase no pronome*) "eu"... não estivesse.

ELA *ri, coquetemente, e sai com mais pratos e utensílios.* R *remexe na estante. A conversa prossegue, sem impostação, à mesa.*

GORDO (*cinicamente, pretensamente culto*) Quanto a mim, gostaria de retornar a... (*como se escolhesse uma cidade arbitra-*

riamente) Amsterdam! Quando nossa excursão chegou aos Países Baixos, fiquei impressionado com tanta e bucólica verdura cheia de flores. Mas as surpresas não se faziam por esperar.

JOGADOR (*cinicamente*) O senhor certamente se refere aos pintores flamengos. Ou mesmo Vermeer, ou Rembrandt. Que luzes, que sombras.

As luzes sobre o palco devem corresponder a este último comentário. Silenciou-se completamente a música. R, segurando um livro encadernado, volta-se em direção à mesa. ELA, silenciosamente, surge à porta da cozinha. Agora usa um vestido leve, charmoso. C tenta conduzir a conversa.

CAVALHEIRO Naqueles países em miniatura eu me sentia como um personagem de Jonathan Swift.

GORDO (*tique nervoso*) Quando eu falei em surpresas, queria me referir à rua do Canal. (*Debochadamente culto*) Era uma lição de anatomia... viva.

CAVALHEIRO Senhores, por favor... a senhorita.

ELA Não se incomode, senhor. As narrativas de viagem me instruem.

JOGADOR (*provocativo, para* G) Ora, muitas ruas de Amsterdam têm canais às suas margens.

GORDO Não, essa era uma rua e um canal especiais. As janelas dos quartos das moças, ao rés do chão, com as cortinas abertas, davam diretamente para as calçadas repletas de marinheiros e... japoneses.

ELA dá uma gargalhada e senta-se despachadamente com eles. A luz esmaece sobre a mesa. Foco de luz intenso sobre R, à parte.

RAPAZ (*para si próprio*) Antes de ela ser corrompida por eles, planejávamos ir à Europa, num desses navios cargueiros. Ela disse, certa vez, que poderíamos juntar-nos a um desses grupos de jovens revolucionários que atiram bombas sobre alvos burgueses. Ela sempre foi uma moça corajosa. Eu... nem tanto. Objetei que precisávamos refletir, antes, se o real objetivo dessas bombas era a transformação da sociedade ou se, pelo contrário, a revolução era um mero pretexto para atirar as bombas.... (*Deposita o livro aos pés da mesa, como se se tratasse de uma bomba*) Agora eu não hesitaria mais. (*Grandiloquente*) Primeiro as bombas, depois os motivos.

Apaga-se o foco de luz sobre R. Luz intensa sobre C.

CAVALHEIRO As omeletes estavam deliciosas, senhorita.

Corte de luz.

O TERCEIRO ATO

(*Pequeno intervalo após o corte de luz, seguindo o curso normal do relógio.*)

Jogada 6

Retorna a iluminação e eles agora estão jogando dados, debruçados no chão, diante de um mapa quadriculado de papelão, onde movimentam peças coloridas, num desses jogos infantis. Comportam-se como crianças excitadas, embora com trajes adultos. Numa inversão de características, C deve estar de costas para o público, em posição bem ridícula, enquanto G, agora de óculos, parece um garoto almofadinha. ELA, também debruçada, deixa entrever, sob o decote, os seios. Eles dividem sua atenção entre os seios dela e o jogo. J está fora de cena.

RAPAZ (*lançando os dados e movimentando sua peça*) Oito!

GORDO (*lançando os dados*) Onze! (*Movimenta satisfeito sua peça, até chegar a uma determinada "casa"*) Tire um cartão! (*Ele tira o cartão e lê alto*) Você avançou o sinal. Pague vinte dólares e fique duas jogadas na cadeia.

G paga vinte dólares e movimenta sua peça, sob a gozação dos outros, até o quadrilátero correspondente à cadeia.

ELA Isso não basta, fique duas jogadas trancado no banheiro.

G levanta-se e anda penosamente até o banheiro.

GORDO Se vocês me roubarem, vai ter.

CAVALHEIRO (*lançando os dados*) Cinco! (*Com um entusiasmo pouco habitual para ele*) Estou quase chegando.

ELA (*lançando por sua vez os dados e entusiasmando-se*) Dez! (*Atirando-se sobre um maço de notas junto ao tabuleiro*) Ganhei! Ganhei!

C joga-se sobre ELA, tentando tomar-lhe as notas. Rolam pelo chão. R junta-se a C e aproveitam para boliná-la. G tenta voltar o mais rapidamente possível do banheiro.

GORDO (*chegando perto dela e referindo-se a C*) Quem estava mais perto da chegada era ele.

ELA (*desvencilhando-se, com algumas notas rasgadas na mão, antes que G possa tocá-la*) Dez é mais do que cinco.

GORDO Se é assim, ganhei eu. Tirei onze.

ELA (*emburrada*) Parei de brincar. (*Subitamente adulta*) Vocês são muito convencionais. Sempre com suas regras e ainda por cima confusas.

RAPAZ (*seríssimo*) Então vamos brincar de médico.

CAVALHEIRO (*maliciosamente*) Boa ideia.

GORDO O médico sou eu, porque uso óculos.

ELA (*novamente infantil*) Não, sou eu, porque sou eu, porque sou..... diferente.

CAVALHEIRO Assim não tem graça. A diferente é que tem de ser a paciente.

ELA Ora, vocês são muito crianças. (*Com o dedo apontando, oscilando entre eles*) O médico vai ser... (*indicando J, que surge neste momento*) ele.

JOGADOR Tire a roupa toda e deite-se.

Imobilizam-se todos, numa excitada expectativa.
Corte de luz.

Jogada 7

Alta madrugada. Recuperada a postura adulta, como se a cena anterior não houvesse acontecido, eles jogam algo parecido com buraco ou biriba. ELA joga em parceria com R e usa uma estola de pele sobre o vestidinho, numa elegância suspeita. G e C também são parceiros. R descarta e G começa a "comprar" avidamente as cartas que se encontram sobre a mesa.

JOGADOR O senhor deve dizer a sua fala.

GORDO Eu compro: o Rei de Ouros, o Valete de Espadas, a Catedral de Colônia, as Cataratas do Niágara, o Luna Park, o Coliseu Romano, a Gare de Perpignan, a Vitória de Samotrácia etc. Eu compro.

G deixa uma carta sobre a mesa, que ELA compra.

ELA (*candidamente triunfante*) Bati!

GORDO (*perplexo*) Logo agora que eu tinha..... quase tudo.

ELA (*entregando as cartas a R*) Conta!

C levanta-se e também entrega as cartas a seu parceiro G, que se põe a contá-las a meia-voz, sob a fiscalização de J.

CAVALHEIRO Há horas em que eu me pergunto como estará a vida lá fora.

JOGADOR Ora, o de sempre. O de sempre.

RAPAZ (*contando*) Trezentos; trezentos e cinquenta; trezentos e oitenta; quatrocentos...

ELA Os ovos se multiplicam.

GORDO (*contando*) Quinhentos e noventa; seiscentos; seiscentos e vinte; seiscentos e trinta e cinco...

ELA (*para C, à janela*) Você poderia fechar as cortinas? Daqui a pouco amanhece. Eu fico nervosa.

C faz o gesto de fechar as cortinas.

ELA Por um momento me passou pela cabeça que o senhor fosse...

CAVALHEIRO (*voltando para a mesa*) Atirar-me? Por um monte de... dinheiro? Enquanto a noite passa, o valor dos meus papéis se multiplica além do meu controle. Cheguei a uma situação, na vida, em que quanto menos eu ajo, para atrapalhar, mais eu ganho. (*Indicando discretamente* G) Não sou um comerciante como ele.

GORDO Mil duzentos e trinta; mil duzentos e cinquenta; mil duzentos e setenta e cinco; mil duzentos e noventa; dois mil e dez...

JOGADOR (*anotando os pontos numa calculadora*) Uma bela contagem, não fosse negativa.

GORDO Isso é o fim, senhores. Mas ainda tenho propriedades. Se os senhores aceitarem um documento...

JOGADOR Se eu fosse o senhor, me comportaria com mais prudência.

GORDO (*tentando aparentar displicência*) Ora, são apenas uma casa na praia e uma lancha. Nunca soube por que tive essa lancha. Acho que porque via aqueles filmes publicitários na televisão, com belas moças e rapazes bebendo vodca a bordo de uma lancha, com fundo musical, então comprei uma. Jamais a usei. Tenho medo do mar, sou muito pesado. (*Encaminhando-se para a janela, sonhadoramente*) Mas na casa eu fui. (*Tique nervoso*) Fui com uma mulher. Ao chegarmos, eu disse a ela, abrindo a janela: "Olha que bonito!". Não é isso que todo mundo diz ao ver o mar? Mas a verdade é que eu não sentia coisa alguma. Desde então decidi não comprar muitas coisas. Prefiro guardar o dinheiro e saber que, com ele, posso comprar essas coisas. E há o jogo. Os senhores me entendem?

CAVALHEIRO (*tirando um talão de cheques do bolso*) Eu o compreendo perfeitamente. Vou pagar também a sua parte, porque somos parceiros. Mas o senhor deve me dar uma nota promissória. Jogo é jogo.

GORDO Eu sabia que o senhor, um cavalheiro. E se quiser aceitar a lancha.....

CAVALHEIRO Também não saberia o que fazer com uma lancha.

GORDO O senhor é magro, poderia navegar. Há tempo, ainda.

RAPAZ (*com ênfase no pronome*) "Eu"... poderia navegar. Com (*ênfase no pronome*) "ela". Jogaríamos fora os mapas (*sonhador*) e navegaríamos sem rumo. Pena que não tenho o dinheiro.

G olha para ELA, *esperançoso.*

ELA Eu morreria de tédio.

GORDO (*tristemente*) Nesse caso... Os senhores me dão licença que eu vou ao toalete.

RAPAZ (*depois que* G *se afasta*) Não deveríamos fazer alguma coisa para impedi-lo?

ELA Impedi-lo do quê, exatamente?

RAPAZ Me passou pela cabeça que ele tem um revólver.

CAVALHEIRO Não me parece que ele tenha estofo para...

JOGADOR Há sempre uma probabilidade.

ELA (*olhando para o banheiro, com alguma expectativa*) Eu jamais... a não ser, por hipótese, que tivesse a certeza de não ficar muito descomposta, horrível, diante de todos.

RAPAZ (*segurando-lhe a mão*) Eu não a deixaria.

Escuta-se um tiro. Todos se sobressaltam e depois se quedam, paralisados, menos R, que, pálido, se levanta abruptamente. Faz menção de ir até o banheiro, porém muda de ideia e se dirige até a estante e pega um livro.

RAPAZ (*lendo*) "Ele foi eliminado do jogo. Não que ele fosse um dos jogadores. Ele era uma peça do jogo." (*fechando o livro*) José Agrippino de Paula. Não é bom, isso?

JOGADOR Continuemos, então, o jogo?

CAVALHEIRO (dando de ombros) Por mim...

RAPAZ Não deveríamos tomar alguma providência?

JOGADOR De manhã chamamos a polícia. Não temos nada a temer. Estamos com a consciência tranquila.

ELA (*suspirando e ajeitando-se para jogar*) Acho que vou sentir falta dele... às vezes.

Ouve-se o barulho da descarga no banheiro e todos se sobressaltam.

G abre a porta e sai com o revólver na mão. J arrasta-se com a cadeira, para não ficar na alça de mira da arma.

GORDO Disparou. Eu não tinha nenhuma intenção de assustá-los, creiam-me. Estava lá, meditando, quando me lembrei do revólver em meu bolso. É uma boa arma. Deve valer um bom preço. Mil dólares, talvez. Não, dois mil dólares. (Para C) O senhor me adiantaria essa quantia e...

CAVALHEIRO (*sacando o talão de cheques*) Tem razão. É sempre útil um revólver.

C deposita o cheque sobre a mesa e o mesmo faz G com o revólver.

GORDO (*alegremente*) Ouvi lá de dentro a sua fala, senhorita. Estou deveras comovido.

ELA (*dirigindo-se indignada para o quarto*) Ora, não me aborreça. (*Para J*) Tome conta do que é meu.

ELA entra no quarto e bate a porta com estrondo.

Corte de luz.

FINAL

O quarto dela permanece trancado. O armário, com suas portas fechadas, deve estar visível, destacado do quarto. A arma não se encontra mais sobre a mesa.

GORDO Eu disse alguma coisa errada?

JOGADOR (*brincando com as cartas*) Impressão sua. Continuamos?

RAPAZ Sem ela não teria graça.

JOGADOR (*apenas para o público*) Na verdade, eles jogavam por ela. Com a esperança de a obterem como prêmio, ganhando ou perdendo nas cartas, pouco importa. Isso agrada a ela, sem dúvida: ser um prêmio. Um prêmio difícil. Ela detesta escolher. Agradaria até a C ganhá-la como um prêmio. Talvez o prêmio por uma derrota aniquiladora no jogo.

CAVALHEIRO Talvez ela já durma... e sonhe. Pode sonhar que ainda é criança e brinca com a boneca. Ou quem sabe sonhe ser a boneca, ela mesma?

GORDO (*aproximando-se do quarto dela, tique nervoso*) Saber que ela está ali e apenas uma porta nos separa... e que bastaria abri-la. Talvez ela durma nua, desprotegida. Ouçam... Não escutam pequenos gemidos?

R se interpõe entre G e a porta, encostando nesta o ouvido.

RAPAZ Não, não escuto. E pode ser apenas um sonho. O quanto eu não daria para fazer parte dele.

CAVALHEIRO Mas se o sonho é dela, você sentiria alguma coisa? Não é como alguém pensar em você depois que você já morreu?

RAPAZ Ainda assim.

CAVALHEIRO (*seriamente*) Será que seria possível duas pessoas partilharem um mesmo sonho?

RAPAZ Gostaria ao menos de deitar-me aos seus pés enquanto ela sonha nua.

R senta-se à porta do quarto e G se afasta, contrafeito.

JOGADOR (*contidamente lírico*) Ela costuma dormir com o dedo na boca. Não passa de uma criança. Nunca amadureceu sexualmente, não dá a mínima para "isso". Apenas se diverte com o modo como lutam para possuí-la. Não consegue entender por que os homens levam "isso" tão a sério. E às vezes ela se entrega, como se não passasse de um brinquedo.

CAVALHEIRO Talvez o que disseram a ela em criança como era ser feminina. Que então ela confundiu para sempre com ser criança... Não, não. Não devemos interpretar as coisas. (*Caminhando resolutamente para o banheiro*) Os senhores me deem licença que eu vou ao toalete.

GORDO Certa vez ela disse para mim que queria brincar de cabra-cega.

G fecha os olhos e começa a "encenar" sua fala, sob os olhares de R e J. C trancou-se no banheiro.

GORDO Ela vendou-me os olhos e disse que eu devia tentar agarrá-la. (*Ele começa a tatear cegamente pela sala*) Eu rodava, rodava, como um tonto. Até que... zás... peguei. Ela dava gritinhos e mais gritinhos. Então eu tive de cair sobre ela para abafar sua voz... (*Arfante, lúbrico*) E depois... bem, depois... quando tudo terminou, eu disse: "A senhorita me desculpe, não havia outro jeito". Aí ela me esbofeteou (*ele se esbofeteia*) e disse: "Você estragou tudo!". (*Caminhando para fora de cena*) Bah, desisto, não consigo entender as mulheres. (*Com uma gargalhada, já nos bastidores*) Mas também para quê? Eu já tinha conseguido tudo.

RAPAZ Não deveríamos fazer alguma coisa para impedi-lo?

JOGADOR (*olhando para os bastidores*) Quem, ele? Só faz falta para si próprio. E para ela... às vezes.

RAPAZ (*indicando o banheiro*) Não, ele. O revólver não está mais na mesa.

JOGADOR Pois eu vou dizer o que provavelmente está acontecendo. Com uma das mãos talvez ele segure o revólver. Com a outra... (*Ele sugere os gestos de alguém se acariciando*) Basta-lhe saber que ela está ali, do outro lado da parede — e isso o excita. Ele no banheiro com a arma e ela deitada no quarto. Há uma relação entre essas coisas. Não sei bem por quê, mas há.

RAPAZ De todo modo me preocupa. Não posso tolerar. Se não se importa, vou deitar-me aos pés da cama dela, para protegê-la. Quanto a mim, não se preocupe. Não vou tocá-la, eu lhe garanto.

JOGADOR Eu não me preocupo.

R entra no quarto dela na semiescuridão. J, deixado a sós, aproxima-se do sofá, sobre o qual está o vestido azul.

JOGADOR (*triunfante, pegando o vestido, dando ênfase ao pronome*) Eu... Eu posso entendê-la. Consigo movimentar suas cordas porque faço tudo... como um brinquedo. (*Andando pela sala, com o vestido nas mãos. Os outros personagens já não estão visíveis*) Ela brinca de se esconder, mas eu sei que agora está dentro do armário. Mas devo fingir, procurando-a em todos os lugares, para dar a ela tempo. (*Ele larga o vestido e encaminha-se para o armário, destacado na cena*) Mas é ali que ela está, encolhida entre os vestidos, como se brincasse de uma coisa muito proibida, misteriosa, de gente grande. (*Devagar, ele abre a porta do armário e põe-se a acariciar os vestidos*) Posso pressentir o seu coração batendo, a respiração ofegante...... E a vou reconhecendo devagarzinho... a sua pele... as formas do corpo.... como se fosse pela primeira vez... de mentirinha... um jogo... um brinquedo.....

J se mete entre os vestidos e desaparece no armário. Antes de fechar-se a cortina final, devem transcorrer vinte segundos, criando alguma expectativa.

O conto fracassado

No conto fracassado havia uma noite de chuva fina, as luzes dos letreiros luminosos e dos veículos refletindo-se nas poças d'água, pneus chiando no asfalto, o casal no segundo andar de uma pizzaria, em Copacabana, tomando vinho de mãos dadas, olhando na direção do mar, as ondas quebrando na areia.

Ao longe, as luzes de um navio que passa semienvolto na neblina. O casal tomando-o como uma feliz coincidência, um elemento a mais no cenário dessa noite em que para eles tudo é belo e corre bem. "Será que alguém, nesse momento, ao avistar Copacabana do navio, passa seus olhos pelas luzes do restaurante aqui?", pergunta a mulher. "Quem sabe um casal de namorados como nós?"

O conto fracassado começava impregnado de lugares-comuns, da busca de uma beleza e lirismo suspeitos.

O homem dizendo para a mulher: "Estou feliz". Ela apertando um pouco mais a mão dele para confirmar que "ela também". No entanto, os espaços sob as marquises eram ocupados por mendigos, que dificilmente estariam abrigando pensamentos amenos, embora casais, entre eles, aqui e ali, pudessem aproveitar as ruas menos povoadas para trepar mais à vontade, sob cobertas sujas, talvez se esquecendo por breve tempo de sua duríssima condição. Já outros dormiam, entre cobertores velhos e jornais. Quem se arriscaria a adivinhar o sonho de um mendigo? Algum desejo satisfeito de conforto ou libertação? Ou, quem sabe, um infortúnio ainda maior da vida, um pesadelo dentro do pesadelo? Ousaria alguém evocar Freud ou Jung?

Como o casal, na pizzaria, também o contista poderia estar feliz, apesar da existência de todos os miseráveis, desde que não fracassasse em seu conto.

No conto havia uma tentativa um tanto débil de descrição erótica, com o mesmo casal da pizzaria, o homem beijando a mulher desde a testa até os pés, demorando-se um pouco mais nos seios e no ponto mais escondido e sensitivo dela, entre os seus pelos negros, ela cravando suas unhas no peito magro dele, entre juras de amor, gemidos, suspiros. Houve também uma hesitação em usar as palavras "vagina", meio científica; "boceta", chula; e "xoxota", talvez risível. Ou ainda um eufemismo tão ridículo como "o seu tesouro escondido".

O contista — que escrevia a princípio à mão — destruindo as folhas de rascunho, desgostoso, e se refugiando numa cena em que um homem recebia um amigo a uma mesa para dois num restaurante, e trocavam beijos nas faces, não muito distante dos lábios, o que não passava despercebido dos outros fregueses do estabelecimento. Depois os amigos bebiam uísque, vagarosamente, e conversavam sobre política, futebol, livros, cinema, a mulher e os filhos de cada um. Falavam baixo, com voz máscula, e, a partir de determinado momento, seus rostos ficavam mais próximos um do outro. Sabiam que se amavam, mas jamais se diriam isso.

O contista se refugiando, ainda, numa cena de amor muito mais intensa e radical do que esta última. Uma cena em que uma jovem freira ajoelhada no genuflexório em sua cela julgava vislumbrar, por instantes, durante uma oração, Cristo a contemplá-la sentado na estreita cama do cubículo. Com cabelos claros, longos, e sua barba, vestindo uma calça cinza e uma camisa branca e folgada, de mangas compridas, e calçado com sandálias, Cristo sorria, com suas feições bonitas e serenas e, sem necessidade de palavras, era como se dissesse à jovem: "Você é minha filha muito querida e eu a amo". A freirinha via-se banhada em lágrimas de felicidade e sabia que aquela aparição não era para ser contada a ninguém, nem a seu confessor, sob pena de a considerarem histérica, sacrílega ou mesmo sensual, pois Cristo estivera sentado em seu leito.

O contista, indeciso, pensou que essa cena talvez ficasse muito melhor como uma instalação plástica, reproduzindo, realisticamente, a cela, adornada apenas com um crucifixo; a freira ajoelhada e Cristo sentado na cama, ambos de poliéster e fibra de vidro, em reproduções perfeitas. E não deixaria de haver um toque de humor nisso, talvez porque a freira, no caso da instalação, não se dava conta de Jesus às suas costas, e ainda pelo sorriso dele, com uma bonomia indulgente, quase irônica, e um aspecto extremamente saudável a contrastar com ele próprio na cruz. E se ouviriam música sacra, mas de alegria, e os murmúrios de uma oração numa doce voz feminina. Mas, caso a obra fosse de fato executada, não a considerariam os críticos e o público mais blasé como déjà-vu?

No conto fracassado o contista diante do túmulo imaginário (pois nunca visitou o túmulo real) da antiga amante em Belo Horizonte. Num cemitério arborizado e ajardinado, no pequeno jazigo familiar, a inscrição singela: "Lúcia D... 1947-1992". Ao redor, entre arbustos, outras sepulturas, espaçadamente. Borboletas sobrevoam as plantas, escutam-se o cantar de pássaros e o zumbido de insetos, destacando um silêncio de fundo. Aquele é em tudo um lugar de paz, embora tantas vezes se ouçam prantos e se adivinhem os vermes fazendo seu trabalho voraz na podridão. Nesse cemitério florido, não é difícil devanear nas transformações do humano em outros elementos da natureza, ou até pensar em alguma coisa espiritual. Resta, porém, a materialidade embaraçosa dos ossos quando exumados. O contista como que vê, com emoção, o esqueleto da amante na tumba, mas também devolve a ela um corpo, transporta-a e se transporta para uma vida que partilharam. Mas que momentos dela tentar reter, de que atributos revesti-la, como reunir-se a ela brevemente em seu conto?

Ela sentada sobre o seu pau, oferecendo uma visão completa do seu corpo, os seios tão erguidos, a cintura delgada, as coxas firmes, os cabelos claros e compridos caindo para a frente, quase escondendo o seu rosto tão bonito, de traços finos? Às vezes ambos fumando nessa posição, ou mesmo dando goles num copo com uísque, retardando o orgasmo. Ou descrever logo, cruamente, ela chupando o seu pau, e ele, a sua boceta? Mas não se tornava o conto carregado dos clichês tediosos do erotismo? Ou da pornografia?

Sim, mas de todo modo tanto tempo eles fodendo em quartos de motéis, na clandestinidade, pois ele era casado. Fodendo cheios de paixão e ele se separou da mulher e foi viver com ela, a amante, na casa modesta que alugaram naquela rua de terra batida, num pequeno morro em Venda Nova, na periferia de Belo Horizonte.

Retratá-la, então, enquanto cozinhava para ele, como uma mulherzinha para o marido? Ou plantando hortaliças ou mudas de roseiras no quintal? Ou quando ela dispôs, para grande sobressalto dele, uma estatueta do diabo sobre a estante de tábuas e tijolos na sala? Dizendo, rindo, que o inferno devia ser muito mais divertido que o céu? Ou eles sentados em banquinhos, em frente à casa, diante de uma chácara do outro lado da rua, ouvindo música clássica no radinho de pilha? Ou, de repente, ela fugindo apavorada da enorme aranha que avistara? Ou ela de calcinha e camiseta, enquanto arrumavam a casa, e ele, num bote traiçoeiro, puxando-a para cima das almofadas?

Transavam todos os dias e, durante vários meses, foram felizes, mas, depois, começaram a pagar o preço do isolamento, e foi se instalando neles, insidiosamente, o veneno da convivência. Quanto menos gente viam, mais ciúme sentiam quando alguém se aproximava do outro — e também ciúme retrospectivo, ela desconfiando que ele tinha saudades da ex-mulher. E ele exigindo dela o completo esquecimento dos antigos namorados. Começaram a discutir com uma frequência crescente e, em duas ou três brigas, chegaram a trocar tapas. Ela pronunciando o veredicto implacável: "Quando a gente morava separado era muito melhor". E, durante uma briga particularmente feroz, em que destruíram vários objetos dentro de casa, ela atirou a estatueta do diabo na mata em frente, como se fosse ele, o demo, o responsável pelas desavenças. Pouco tempo depois, ela pegou suas coisas, entrou no seu velho Volks e foi embora. Para não ficar isolado fora da cidade, pois não tinha carro, ele alugou às pressas as pequenas dependências nos fundos de uma casa, no bairro de Cidade Jardim. Continuaram a se encontrar, mas os sentimentos não eram mais os mesmos. Depois, ele conseguiu uma transferência no emprego e mudou-se para o Rio de Janeiro, sua cidade natal. Mas ela acabou por vir também e tornaram a morar juntos.

Como retratá-la, ou retratá-los, então? Eles tomando banho de sol na sacada daquele velhíssimo apartamento no alto do bairro da Glória? Bebendo uísque e ouvindo, no mesmo radinho de pilha de antes — o único aparelho de som que possuíam —, as corridas de cavalos em que apostavam? Ou lidando com o casal de passarinhos que compraram para alegrar a casa? E fodendo e fodendo. Ela por cima, por baixo, sentada, deitada, de frente, de costas. Trepando ainda cheios de desejo, mas algo em seus sentimentos já fora atingido. Ela descobriu que ele saíra com outra mulher, arrumou suas malas e voltou para Belo Horizonte. Pouco tempo depois, tentou o suicídio, o que ele acabou por fazer também, mas muitos anos mais tarde, quando ela já estava morta. Ambos usaram soníferos e foram salvos por um triz. Quanto aos motivos, é sempre uma longa história.

Ela morreu da peste hodierna. Ele, vivendo uma relação estável no Rio, acabou, egoisticamente, por ter notícias dela apenas à distância. Quando tomou conhecimento da sua morte, esta já ocorrera havia um mês, com o corpo dela inteiramente devastado pelo vírus. Diante dos seus sofrimentos, a partir de certo estágio da doença, a morte era então um avanço, uma purificação, os vermes liquidando com o que restava do corpo arruinado e até mesmo com o vírus. E tornou-se ela o esqueleto que o contista visualizou na sepultura e revestiu com um corpo desejável neste conto, tentando fazer a amante reviver, de alguma forma, não fosse o conto fracassado. E o contista se vê seduzido por outro percurso: penetrar tumba adentro e repousar junto com a amante para todo o sempre.

No conto fracassado, a tentativa do contista de capturar momentos tão especiais como ele sentado numa cadeira de lona, na diminuta sala da habitação em que foi morar, depois da separação da amante, nos fundos daquela casa em Cidade Jardim, Belo Horizonte. Com a janela aberta dando para um jardinzinho, o vento de outono despregava de um arbusto flores brancas que caíam sobre o contista. Emocionado, com o coração batendo mais forte, ele pousara no colo o livro que estava lendo, considerando que o melhor a fazer era entregar-se inteiramente àqueles momentos preciosos, ainda que não houvesse ninguém ali para compartilhá-los.

Talvez uma das razões para que o conto fracassasse era que havia uma ânsia muito grande do contista pelo absoluto, de que as palavras o conduzissem a um perfeito aconchego, como se escrever se assemelhasse a deitar a cabeça no ventre de uma mulher muito querida, enquanto ela lhe acariciava os cabelos. Talvez como se escrever fosse até mais do que isso: fosse como se ele pudesse fundir-se ao corpo daquela mulher, ou retornar à barriga da mãe. Que embaraço, meu Deus, um homem de sessenta anos, o contista, observando em suas caminhadas os bebês em seus carrinhos e os invejando, desejando ser um deles, com uma jovem mãezinha a embalá-lo e dar-lhe o seio. Mas, ao observar também os velhinhos e velhinhas, alguns em cadeiras de rodas, a segurarem, trêmulos e enrijecidos, as mãos de seus acompanhantes, o contista pensa que, nesse estágio da vida, o grande aconchego é a morte, o indiferenciado. E não consegue evitar a visão mórbida e grotesca dele próprio, no desfile matutino nas ruas de seu bairro — entre bebês, mãezinhas, babás, velhinhos, velhinhas e acompanhantes — sendo empurrado num esquife aberto sobre rodas.

Durante a escrita do conto fracassado, a tentativa do contista de sair de si, de seu universo tão intimista, para tornar-se outro, mais duro, que em vez de mergulhar na subjetividade, retirasse das palavras ação. Transportando-se, então, para o alto de um morro da cidade, onde estão abrigados, numa pequena construção de pedra e cimento, um bandido negro, de dezessete anos, chamado Vilson, apelidado de V, e sua garota branca, de dezoito anos, Josefa, Zefa. A noite é escura, mas V só descobre um mínimo de seu corpo para disparar, da janela, a intervalos bem espaçados, tiros de fuzil na direção de atiradores de um bando rival, postados, entre pedras, na mata de um morro próximo, a uns oitocentos metros de distância mais abaixo. Também a longos intervalos, movendo-se para não revelar seus esconderijos, os inimigos respondem ao fogo. Com a distância e a escuridão — pois os moradores das proximidades apagaram as luzes de suas casas e as abandonaram, e V atirou nas lâmpadas da iluminação pública — até agora ninguém acertou ninguém.

Sentada numa esteira, com as costas contra a parede, Zefa, à luz de uma vela, prepara sobre uma Bíblia, dádiva de um pastor, carreirinhas de cocaína para ela e V. Os dois sabem que, se pararem de cheirar, poderão sentir muito medo.

Subitamente a lua surge cheia entre nuvens, e V distingue, cruzando os ares, com uma rapidez incrível e numa trajetória louca, um morcego, meteoricamente recortado contra o luar. Num impulso, quase sem pensar, V faz uma rápida pontaria, dispara e acerta. Com a bala de grosso calibre, o morcego se dissolve, ele inteiro um borrão de sangue. Um tiro desses é um em cem mil, talvez mais, V sabe e dá uma gargalhada.

"Acertei, Zefa, acertei."

"Pegou um deles?"

"Não, Zefa, um vampiro. O capeta. Um morcego."

"Cruz-credo, cê não tem medo, V?" Zefa faz o sinal da cruz.

"Se eu acertei o capeta, Deus só pode estar com a gente, Zefa."

A lua já se escondeu de novo, V dispara mais uma rajada,

só de comemoração, na direção dos inimigos invisíveis. E depois se abaixa, para dar umas cafungadas junto com Zefa. Logo ele vai estar nos braços dela, se descuidando de tudo, considerando que, sob a proteção divina, já ganhou a noite. E os dois vivem, sem pronunciá-lo, o lema dos Alcoólicos e Narcóticos Anônimos: "Só por hoje".

Não adianta, pensa o contista. Sou sempre eu mesmo.

Mas não é muito raro que, em seu apartamento, ele ouça tiros de fuzis e metralhadoras, em batalhas entre os traficantes dos morros das redondezas. Cenas comuns do Rio de Janeiro. E já se pegou, um tanto envergonhado, lendo um livro de um autor tão fino como Marcel Proust, enquanto os tiros de grosso calibre espocavam numa guerra acirrada ali nos morros. Depois o contista largou o livro e adormeceu em paz, com a ajuda de um sonífero e a tranquilidade provocada pelos fatos de sua cama encontrar-se atrás de uma parede reforçada e de que nunca balas vieram alojar-se em seu edifício, pois as faces dos morros que dão para ele são de imensas pedras.

Mas também já se surpreendeu o contista a pensar, com um certo gozo, ao ouvir disparos, do quarto que lhe serve de escritório e cuja janela se abre para essas faces dos morros, que poderia levar um tiro no peito e cair morto ensanguentado sobre seus rascunhos, num final exato para a sua vida, suas angústias e seu conto fracassado.

No conto fracassado havia uma prosa noturna, devaneios lassos, belezas vagas, sentimentos mudos. Havia flores se abrindo à noite num vaso de apartamento, um beijo cálido de conhaque, um casal se amando à luz de uma TV, em cuja tela se desenrolava, em preto e branco, um velho filme de amor e aventura. Depois, com o casal já adormecido, era como se os atores e personagens tivessem uma vida autônoma e intemporal.

No conto fracassado, o texto obscuro de um literato sombrio, o seu desejo de ser um peixe de águas profundas, ou um poeta à margem do rio Tejo numa tarde de nevoeiro, imaginando divisar sobre as águas os fantasmas de antigos navegadores, ouvir ao longe o guincho lancinante das gaivotas. No conto, as tentativas de criar beleza da melancolia.

Nele, havia a materialização num palco de uma fantasia do contista, na cena de uma peça sua montada havia quase vinte anos, a história de uma virgem morta, cultuada como uma santa. Em tal cena, uma garotinha de doze anos, descalça e com seu vestidinho juvenil, é uma estátua viva sobre um pedestal numa capela — um encantamento a ser guardado para sempre na memória.

Mas, não havia como se iludir, o conto era o tempo todo impregnado pela ideia de morte, tal qual uma berceuse como antecâmara para doces trevas.

No conto — na parede do quarto do contista — um quadro, levemente naturalista, exibindo uma mulher de blusa verde, nua da cintura para baixo, a não ser pelos sapatos pretos de salto alto. Ela segura uma bolsa, também preta, e traz no pescoço uma correntinha dourada. Com essas peças do vestuário e adereços simples, que a fetichizam, ela acaba por atrair a atenção do contemplador para o seu sexo, que é o centro de tudo, tornado ainda mais sedutor e misterioso porque completamente velado pelos pelos pubianos. Mas há também os seus olhos bem abertos que estão sempre a fixar o eventual contemplador. E é curioso pensar nisto: que a mulher pintada está sempre ali, muito real, à espera de quem venha contemplá-la.

Durante a escrita do conto, o contista julgou sofrer uma

tentação do demônio, oferecendo-lhe uma obra-prima, ainda que pequena, em troca de sua alma. Com o coração batendo de medo, o contista recusou, de imediato, mas imaginou que o demo, enquanto lhe *ditasse* a escrita, diria, afavelmente: "Veja como é simples".

Em vez de ao demo, recorreu o contista à sua mãe falecida, pedindo-lhe que viesse em seu auxílio na vida e no conto, e sentiu-se recebendo as seguintes palavras: "Escreva sobre um vento suave na madrugada, meu filho; folhas secas sendo arrastadas de um lado para outro nas ruas e nos campos, pássaros dormindo neste momento nas árvores, no alto o firmamento imenso, bilhões de astros no cosmo infinito, você sendo uma parte ínfima dele, menor que uma formiguinha na Terra. E logo, por mais que lhe pareça um tempo longínquo, você estará junto comigo".

Ah, mãe, o meu cérebro atormentado se sobrepõe a tudo, quisera eu ser mesmo uma formiguinha, com sua partícula tão ínfima de ser. Mas quando uma delas, por um acaso, tem uma parte de seu corpo atingida por um dedo humano e rodopia sobre si mesma, não haverá nela uma espécie de consciência a refletir sua dor?

No conto, havia também a tentativa de expressar a dor do pássaro que, por alguma doença ou ferimento, baixou ao solo e ali estava, com as penas arrepiadas, encostando-se a um muro. Nesse pássaro, toda a possibilidade de tragédia da vida.

Havia, no contista, essa ânsia repetida de capturar sensações em estado puro. Mas e a pergunta: não escreveria ele assim por não saber contar uma história de verdade?

O clímax do fracasso era talvez o momento psicológico em que o contista, deixando o quarto-escritório, observava, da porta de outro quarto, com a luz do corredor acesa, sua companheira nesse tempo dormindo na cama. Por um instante, ele pensou em sentar-se ao lado dela, acariciá-la e, quando ela despertasse, abraçá-la forte como quem dissesse: "Eu te amo, Lúcia. Por favor, tente gostar de mim, apesar de tudo, pois eu, tenho certeza, é só sair dessa crise, poderei voltar a ser quem era antes, um homem angustiado mas com a sua luz".

Mas ele não tinha a menor confiança de que ela, sendo acordada no meio da noite, o acolheria, compreensiva. Poderia, ao contrário, afastá-lo, impaciente, afundando-o ainda mais na sua inquietação noturna. E havia, também, algo um pouco mais complicado mas que ele percebia intuitivamente: embora sentisse, observando-a dali, essa vontade de abraçá-la ou mesmo de possuí-la, se por acaso fosse acolhido, isso o lançaria depois num vazio maior, justamente porque liberto do seu desejo, que, no fundo, era também o que o levava a escrever. E provavelmente cairia no sono, depois de mais uma noite em que não resolvera o seu conto.

Está certo que joguinhos poderiam ser jogados, com alegações de que, num conto que se acabaria por intitular de "O conto fracassado", o fracasso seria intrínseco a ele. Mas não era bem assim, ele sabendo muito bem que o seu conto deveria ter um tipo de valor que o diferenciasse dos insucessos propriamente ditos, quando se pretende uma coisa e se obtém outra. E mesmo que ele escrevesse, como de fato escrevia, a respeito disso tudo, também não se redimiria, por se tratar de um texto voltado sobre ele próprio, com uma surrada metalinguagem, ainda mais viciosa por ele tentar discuti-la e renegá-la dentro do conto.

O conto fracassado era híbrido, não tinha um enredo preciso, porque havia pretensões do autor de abarcar vários enredos possíveis. Havia um desejo de salvação pela palavra, de uma prosa errática e musical que contivesse múltiplos significados e, por outro lado, um desejo de clareza e precisão.

O conto era sério, irritantemente profundo, às vezes preciosista, resvalando para a prosa poética. Tinha um lado aziago, tenebroso, mas também um desejo de delicadeza e formosura, tal qual o riso cristalino de uma jovem depois do amor. O conto se queria ainda intenso, iluminado e dramático como as manifestações de um sonho.

Durante sua escrita houve longas interrupções, becos sem saída, desespero do autor, inveja dele dos contistas contundentes e enxutos. Ao mesmo tempo, uma pulsão de silêncio, uma tendência à fantasia, ao mistério, à abstração e à harmonia pura.

O conto se queria ainda tão brando quanto o repicar baixo e espaçado de um sino numa igreja do interior, ou tão solene como a voz de uma meio-soprano cantando a missa numa catedral iluminada.

O conto se queria tão belo e maldito como uma flor do mal de Baudelaire, no entanto o contista almejava o tempo todo o perfeito infinito, a feliz eternidade no Jardim do Éden, vivendo uma plenitude amorosa com Deus, por mais ingênuo que isso pudesse parecer.

O conto fracassado era a escrita do declínio de um autor em crise, equilibrando-se num fio estendido sobre a vala comum, mas às vezes ele se surpreendendo a admitir, numa espécie de exaltação: apego-me a este fracasso e nele me reconheço.

ESTA OBRA FOI COMPOSTA PELO GRUPO DE CRIAÇÃO EM ELECTRA E IMPRESSA PELA GRÁFICA BARTIRA EM OFSETE SOBRE PAPEL PÓLEN SOFT DA SUZANO PAPEL E CELULOSE PARA A EDITORA SCHWARCZ EM SETEMBRO DE 2017

A marca FSC® é a garantia de que a madeira utilizada na fabricação do papel deste livro provém de florestas que foram gerenciadas de maneira ambientalmente correta, socialmente justa e economicamente viável, além de outras fontes de origem controlada.